BOW BOOKS

現代の不安を生きる

哲学者×禅僧に学ぶ
先人たちの智慧

大竹 稽
哲学寺子屋主宰
松原信樹
臨済宗龍源寺住職

はじめに

その日、わたしは一つの問いを抱えて龍源寺さんに向かっていました。十年弱のおつき合いになる松原和尚にあらかじめ連絡し、一時間程度の時間を調整してもらっていたのです。

その問いこそ、この本の起点となるものでした。

「不安はなくならないですよね?」

大学で哲学を専攻したわたしのもとには、「不安をなんとかしたい」「不安がいつまでも消えない」という相談が、しばしばやってきます。

相談者は、ビジネスパーソンが中心ですが、学生もリタイヤ組もいます。人生の岐路ともなりうる会議や試験。周りの人間がどんどん先に進んでいる（結婚や昇進）のに、自分だけ取り残されていること。人間関係や体調。老後や将来の不安もあるでしょう。

そんな相談の相手をするわたしにも、これまでに三つの大きな不安がありました。いまだに、鮮度を保っている不安もあります。

今まさに、この本の原稿を書いているのですが、出版社の方たちの眼はとても厳しいです。原稿を提出してから返事があるまで、もうドキドキです。この仕事を始めた頃は、恥ずかしさと不安の両方がありました。もはや恥は昇華されたものの、相変わらず不安は消えません。

結婚も不安でした。妻に向かって、「僕は誰も愛したことがないかもしれない」なんて、結婚前に言い放ちました。「愛」なるものがわからないわたしにとって、結婚のために「愛」を前提にすることができません。わたしには「あなたは信頼できる闘士。だから結婚しよう」だったんです。こんな常識外れを受け入れてくれた妻に感謝しています。

五十を過ぎて医学部時代の仲間に会いますと、彼らの人生が「盤石」であることに驚かされます。かたや自分の人生を振り返ると、不安定を絵に描いたようです。医学部を辞めて哲学の道に進んだものの、哲学など生業にはなりません。「これから先どうなっていくんだろう？」という不安は、ずっとわたしに取り憑いています。

『叫び』で有名なノルウェーの画家エドヴァルド・ムンクには、その名も『不安』という作品があります。背景は『叫び』と同じような設定ですが、大きく違うところもあります。『不安』では、複数の人間が喪服のようなものを着て、どうにも血の気のない顔つきで、こちらに向かってゾロゾロと迫ってくるのです。何かに取り憑かれたように歩みを止めない人々。

その何かこそ、「不安」なのでしょう。

不安の時代に生きるわたしたちの誰もが、この絵にいる一人なのかもしれません。

そして誰でも、この絵のような顔つきからは一刻も早く解放されたいと願うでしょう。

一方で哲学には、「不安」こそ人間の証明になるという考えがあります。

ドイツの偉大な哲学者マルティン・ハイデッガーもその一人です。

彼の主著である『存在と時間』には、「現存在の際立った開示態としての不安という根本的心境」という節（40節）があります。ここでハイデッガーは、**不安こそわたしたち人間にとって最も重要な課題である「自由」も「未来」も「可能性」も、不安によって確かめられる**と論じています。

「存在」を成り立たせるのに不可欠であること、そして、わたしたち

「不安は孤独化するがゆえに、その中には際立った開示の可能性が伏在している」、細谷貞雄先生が訳されたちくま学芸文庫の『存在と時間』から引用しました。わたしたちがいかなる人間であるか、わたしたちが本来的な生き方をしているかどうかは、不安を通して主体的かつ自由に明らかにしていかなければならないと、ハイデッガーは叱咤しているのです。

「人間は頭が良すぎる」とは、『幸福論』で有名なアランの言葉ですが、「不安」は動物と人間の境界を定めるものかもしれません。ムンクの『不安』には、「頭を使う」わたしたちでなければ共感できないのです。わたしたちは、人間として親しめる負の部分に共感します。そんな負の部分の大半は、理解と実践のズレから生まれます。

ムンクの『不安』の人物たちは、「不安の正体」を理解しようと奮迅するから、生気を失ってしまっているのです。そんなところにエネルギーを使わず、「不安はあるものだ」と腹を括ってしまう（理解ではありません）。そして、「なんともならない」ことにエネルギーを使い果たすのではなく、「なんとかなる」ところに使っていくのです。

大切なのは実践。ムンクの『不安』の中の人物は、まず立ち止まってみればいいのです。あえて、群衆の列から離れ、一人残されてみればいいのです。やがて生気が戻ってくるでしょう。

頭で理解していても実践に欠ける。もしかしたら、哲学者の最も陥りやすい罠かもしれません。わたしは、松原和尚に投げかけてみました。

「不安はなくならないですよね？」

するとと和尚は答えてくれました。

「不安はなくなりません」

答えは続きます。

「なくならないからこそ、日々の実践が大切です」

こうして、この本の基礎と流れができました。その結実は、本書の第三章、「不安と上手につき合う六つの習慣」でご紹介します。

禅僧たちは、厳しい修行を終えています。修行では、頭だけの理解は完膚なきまでにやりこめられます。「身を以て学ぶ」ことを徹底させられます。だからこそ、禅僧には「悟り」のイメージがついてくるのでしょう。

仏教由来の熟語に「四苦八苦」があります。しかし、この熟語には誤解があります。どうしても「苦」に目が向けられますが、ここでの「苦」とは、「苦しいこと」ではなく「どうしようもないこと」なのです。この「どうしようもないこと」をなくしたりしようとすると、不安がますます強くなり、不安によって思考はどんどん萎縮し、果てはムンクの『不安』どおりの顔になってしまうのです。

仏教の要諦は「解決しない」ところにあります。「どうにもならないことをどうにかしてしまう」ような、魔法の教えではありません。しかし、「どうにもならないことと上手につき合う」ための実践的な智慧は、諸処にちりばめられています。仏教には多派ありますが、中でも**禅の教えの核心は、死後の安寧ではなく、「いかに元気に生き切るか」**にあります。

わたしたちは、人間らしく自由に生きたいと願います。不安の時代だからこそ、いっそう、この願いは強くなっているでしょう。そのためにはまず、不安を大事にしてみましょう。先を急がず、他人と比べず、「やばい」と思ったら立ち止まってください。

そして「不安を感じている」自分を認めるのです。不安を感じられるからこそ、わたしたち自身が頼りになるのです。

奇しくも、著者の二人には年の近い娘がいます。そんな二人にとって「わたしたち」とは、子どもたちであり、家族でもあり、そして同時代を生きる全ての人たちでもあります。これまでもこれからも、未来が「不安」であることは変わりません。しかし、だからこそ「わたしたち」は自由でいられます。不安をなくそうとせず、「わたしたち」らしく上手に、不安とつき合っていきませんか？

大竹　稽

二〇二三年初夏

目次

不満足

無批判

無難・無事

第2章 不安をもたらす六つの「悪癖」

大衆化

先入観

コストパフォーマンス

第3章　不安と上手につき合う六つの「習慣」

立ち止まろう

序章

［予想外の事態］

現代は「不安の時代」などと言われます。先行きが見えない、何が起こるかわからない、VUCAの時代とも言われます。あらゆる環境がめまぐるしく変化し、将来の予測が困難なことを指します。

そこで生じる不安に対し、あるいは、そこで望まれる「不安をなくしたい」という気持ちに対し、多くの専門家たちが誠実に答えているのを散見します。

しかし、禅と哲学からすると、絡め取られた状態を解きほぐすことはできても、「不安をなくす」ことはできないのです。いやむしろ、**「不安がなくなる」ことは、決して「よく生きる」ことにはなりません。**

最初に、筆者であるわたしたち二人が体験してきた幾多の不安の中から、いくつかを選抜してお話ししておきましょう。

［大竹稽のエピソード］

人間関係は、わたしたちが生きている限り、逃れられるものではありません。人々の間に生きるのが、「人間」です。だからこそ、職場でも学校でも、人間関係は悩ましいものになります。新しい職場や学校に入るときは、「どんな人がいるのか」「うまくみんなとやっていけるのか」という不安は大きいものです。こんな人間関係から、重大な問題が生まれます。その最たるものが、いじめでしょう。

わたしは中学生のときに、いじめを受けました。毎日の給食では除け者にされ、教室にいたくないから給食も食べずにクラスを抜け出していました。朝、登校すると机や黒板に悪口が書かれていたこともあります。自転車が川に放り込まれたこともありますし、クラス写真のわたしの顔に画鋲《がびょう》が刺さっていたこともありました。

この経験が原因で、わたしは強迫性障害になってしまいました。不安障害の一つです。強迫性障害といえば、代表的なのが、過度な潔癖です。わたしには、知らない人が使ったもの、手に触れたものが、とても汚いものに感じられていました。電車のつり革や公衆電話などは好例でしょう。硬貨もその一つ。お金に触るたびに、手を洗っていました。

当然、人混みが苦手です。窮屈に人が集まっている密閉空間など、耐えられるものではありません。避けようがなくエレベーターに乗るときは、できるだけ息を止めて乗っています。

強迫性障害の人間には、「儀式」が欠かせません。わたしにとっての「儀式」は、「タッチ」でした。声を掛け合う、握手をするなど、触れ合いをクリアーすると、わたしの緊張は解けます。このような「儀式」は、わたしなりの「正しさ」に入るかどうかを確認することでした。わたしが考える「正しさ」への合意がないと、知人になれないのです。ですから、いったん知人になっても、「正しさ」から外れる言動を見聞きすると、こちらからスッパリ縁を切ってしまいました。

わたしにとって哲学は、「人間としての正しさ」を見極めることでもあるのです。この「正しさ」が不明なまま、人づき合いをすることはできなかったのでしょう。

こんなわたしにも、五十近くなって娘が生まれました。これまでのわたしの哲学の多くは、書物から学ぶものでしたが、娘によってこの習慣が大きく転換してしまいました。書物ではなく、生の現場で哲学するようになりました。

現場で求められるのは、「正しさ」ではありません。「正しさ」という枠組みに人間をはめ込もうとすることは、わたしの不安を相手に強いることになっていたのです。

そして現場では、「わかる」よりも「わからない」のほうが大切なのです。「わからない」不安によって、喜びも生まれ、危険回避もできるのです。

「わかっている」という気持ちは、慢心で不誠実なのです。

娘が、娘との現場が、教えてくれたことでした。

［松原信樹のエピソード］

孤立は不安と切り離せないものですが、失敗への不安も、わたしたちの行動や選択に大きく影響してきます。

大学院時代のことです。わたしは指導教官に導かれてインド哲学を研究する道に進みました。しかし、その授業がまったくわからないのです。授業は日本語なのですが、みんながしゃべっていることがわからない。専門用語も内容も、難しすぎるのです。授業がまったく理解できませんでした。周りから取り残されて、この先どうなるか、自分がやっていけるのか、不安にさいなまれました。

「このまま自分は不登校になってしまうのではないか」、とさらに強い不安に襲われました。発表当日は、緊張して、心も口もかたくこわばっていました。

しかし、どれほど不安で緊張していようと、どうしようもなく、みんなの前に立たされる。だから、できることをやるしかない。発表は失敗続きでした。

大学院時代は、人生で最大の不安体験と挫折の日々でした。ただ、この体験があったからこそ、仏教に戻れたのです。そして今、サンスクリットの文が読めるようになっています。これらの**大きな不安体験が、今の自分を作っています。**

不安の体験の意味は、後からわかるのですね。

わたしは今年（二〇二三年）、五十二歳になりました。バブルが崩壊し、就職氷河期と呼ばれる世代です。大学を卒業して僧侶になるために修行道場の門を叩きましたが、大学の友人は、就職活動に苦戦していたのを覚えています。その後、リーマンショックがあり、派遣労働など労働形態の問題や格差や貧困の問題が叫ばれるようになりました。まさに予想外の連続でした。

わたしが住職を務める龍源寺で手伝いをお願いしている同世代のコージ君は、学校を卒業してから転職を繰り返していました。人間関係が問題で会社勤めが続かないため、金銭的に不安定な生活を余儀なくされていました。

ただ、人間関係がうまく作れないというだけで、決して嘘はつかないし、騙したり盗んだりすることもありません。ただ黙々と寺の境内の掃除、トイレ掃除をしてくれます。

「なんでもいいから仕事をすれば、不安定な生活から抜け出せる」という意見もあるかもしれません。しかし、仕事以上に大切なことがあります。それは居場所です。

居場所は、不安を共にする場所でもあります。

現代人の「不安」の背景には、「すべて自己責任で」という強迫的な圧力があります。

その中では、「不安をなくしなさい」というメッセージは、さらに圧力を強くしてしまうものです。「不安なんてあってはダメだ」と刷り込まれてしまうからです。

そんなメッセージを出すよりも、居場所を作らなければならないのです。

この本が、わたしたちの居場所を作る一助になることを願ってやみません。

【わからなくてもだいじょうぶ】

『井戸に落ちた星占い』というフランスの寓話があります。こんな内容です。

星占いがうっかり井戸の底へと落ち込んだ。通りがかった人が言った。
「おバカさん。自分の足元も見えないくせに、頭の上の高いところを読めるつもりか」
（« L'Astrologue qui se laisse tomber dans un puis »）

この話に、作者のラ・フォンテーヌはコメントをつけています。

未来がわかると聞いて、喜ばない人は少ないだろう。

未来を読んで、災厄を避けようというのだろうか。あるいは、退屈から逃れようとするのだろうか。

しかし、読んだところで、不安が先取りされるだけ。不幸が来る前に、不幸を来させてしまうだけだ。

空は動き、星々は巡る。太陽はわたしたちを照らし、四季をもたらし、恵みを与える。このような宇宙の運行に合わせて、わたしたちの運命は変わり続ける。

「未来がわかる」という言葉を信じるな。これはむしろ、罪悪だ。

（« L'Astrologue qui se laisse tomber dans un puis »）


禅僧や哲学者というのはズンズン歩き進めない者たちです。立ち止まって、観察して、自分のペースで歩くことを得意としています。「こうすれば正しい」という教義やテクニックに頼るのではなく、自分の足で歩こうとするから、スピードはかなり遅いはずです。

しかし、それだけ、不安ともきちんとつき合えてきたと言えるでしょう。

歴史を振り返れば、一休さんや沢庵さんのような禅僧たちが、日本にいます。西洋には、ニーチェやアランのような哲学者たちがいます。彼らは、**不安こそ人間の根本の一つであると**考えました。

そして現代は、AI時代。喫緊の問題は「人間とは?」に答えることでしょう。**その答えの一つに、「不安を感じ、不安とつき合う」があるのです。**

「不安を避けたい、不安を消したい」と考えてしまうのも、人間です。

しかし、それは「ダメダメ」思考へとつながってしまいます。「失敗はダメ」「絶対負けてはダメ」という「〜しなくてはダメ」の例は、無数にあるでしょう。

しかし、このような「ダメダメ」思考こそが、過剰な不安を生み出し、不安に取り込まれる原因となるのです。

本書の結論から言いましょう。

不安とつき合う秘訣は、「だいじょうぶ」にあります。

「失敗してはダメ」ではなく、「失敗してもだいじょうぶ」。

「勝ち続けなければダメ」ではなく、「勝てなくてもだいじょうぶ」。

「見えなくてはダメ」「わからなくてはダメ」から「見えなくても、わからなくてもだいじょうぶ」に考え方を変えてみましょう。

それによって、わたしたちは自分のペースとサイズで、がんばれるようになります。

「失敗してもだいじょうぶ！」という気持ちで、がんばれるところでがんばりましょう。

そうすることで、**不安も、適当なサイズになってくれるでしょう。**


不安は人それぞれ。不安に「自分」が表れます。

だから、不安を消そうとすることは、自己を消すことになりますし、不安を認めることは、すなわち、自己を認めることになります。


不安と上手につき合うことで、必ずや本来の豊かさやしあわせに気づいていけるでしょう。

第1章

不安がもたらす五つの「虚無」

無関心

L'indifférence

無関心は、不安をなくしたい気持ちが生んでしまう心の姿勢の一つです。
しかし、この心は不安そのものよりも厄介です。
不安を忌むばかりに、人や物事に無関心になってしまうことは、
自分を牢獄に閉じ込めてしまうことです。

「他人の目」

「同調圧力」という言葉があります。多くの人がしていることをしていないと、その人は非難され、攻撃を受けることさえあります。日本独特の空気感のようです。あのコロナ禍では、自粛警察なる人々が登場し、「マスクをつけていない」「ワクチンを打っていない」「他県から来ている」人々を取り締まりました。

「同調」への過敏な反応は日本独自ですが、日本人に限らず、人は誰でも「他人の目」の影響を受けるものです。そして、**「他人の目」にさらされたとき、わたしたちは不安になります。**

すると、どうするか?

まず出てくるのが、**「他人の目」を逃れんとする姿勢**です。

十七世紀の詩人で、イソップ寓話を基にした寓話詩で知られるラ・フォンテーヌの寓話に、「男と影」というお話があります。

ライバルもいないまま己の姿に惚《ほ》れている一人の男がいた。世に類のない最高の美男のつもり。鏡に映る姿は自分のものではないと鏡を責め、深い過ちに落ち込んだまま、満足していた。

そこで世話好きの神は、町の至る所に鏡を置きまくった。男が行く家々には姿見を、男が行く商店にも姿見を、通り過ぎる紳士の懐中鏡に、婦人の手鏡。あらゆるところで鏡は男の姿を映した。

さてこの男はどうしたか?

鏡に映る姿に耐えきれなくなり、人気のないところにひきこもった。ところが、そこには美しい泉があった。人里離れた隠れ家にあって、とうとう男は泉の水面に映る己の顔をまじまじと見ることになった。それは怒りに満ちて、まるで怪物のような姿だった。

(« L'homme et son image »)

この男は鏡に映る「自分の姿」を避け続けました。「自分の姿がよくない」ということを本当は知っていたからでしょう。彼は、己が容姿に自信がない。でも美男であると信じたい。「実は、あなたは」なんて知らされることを何より恐れていたのでしょう。

「自分の姿」を教えてくれるのは「鏡」だけではありません。「他人の目」もそうです。さらにそこに点数をつけたり、矯正しようとしたりする「他人の目」もあります。そんな「他人の目」は、わたしたちをいっそう不安にさせます。

すると、「他人の目など気にしない」と豪語する人たちも現れます。

そのような人物に翻弄された経験が、わたしにもあります。「他人の目なんか気にしちゃだめよ」を口癖とする女性でした。でも、そう宣言することで、彼女が「他人の目」を無視するように努めていたことに気づいたのは、後になってからでした。

たしかに、「他人の目」はわたしたちの不安の淵源と言えるでしょう。そこに「攻撃性」を読み取るからです。「そんな不安を一掃しよう」というのも至極、合理的な解答です。それで「他人の目を気にしない」となります。

すなわち、「無関心」です。他人に対する「無関心」です。自分が他人からどう思われているかということに対する「無関心」です。

「他人の目」というのは、わたしたちがこれから迎える監視社会にも関わってきます。監視カメラだけでなく、携帯電話やパソコンを使えば、わたしたちのプライベートな時間も防犯という名の下で見張られるようになるかもしれません。「そんなもの気にしない！」という強靭な精神もあり得るでしょうが、それでもやはり二十四時間監視されているというのは、勘弁してもらいたいものです。

いずれにしろ、わたしたちは大なり小なり「他人の目」を恐れ、その潜在的不安とともに日々を過ごしています。では、この視線というものがもつ攻撃性はどこからくるのでしょうか？

それは、「所有」です。**視線には「所有」の意味がある**からです。

「眼差しと所有」というテーマはサルトルが得意とするところでした。サルトルは第二次大戦前後に活躍した、フランスの哲学者です。彼とその伴侶であるボーヴォワールは、旺盛な行動によって世界をリードしていきました。

彼の哲学書『存在と無』には、「私は、他人のまなざしを、私の行為のさなかにおいて、私自身の諸可能性の固定化および他有化として、とらえる（« L'Être et le Néant »）」という一文があります。

他有化とは、「他人によって所有される物と化す」ことで、このような他有化から解かれるために、眼差しを送り返すと言うこともできます。

これは一種の勝負です。アウトローたちの代名詞「ガンのつけ合い飛ばし合い」に類するかもしれません。彼らは己の実力を、拳を使うことなく眼差しだけで競っているのでしょう。そして負けたほうは「物」として相手に所有されてしまうのです。

しかし、このような勝負はわたしたちの求めるところではありませんね。でも、だからといって、他人の目に無関心になることも、自分自身をごまかすことになります。では、どうすればいいのでしょう？

【無関心への哲学からの警告】

サルトルは、別の選択である「無関心」について考察します。

無関心は、人を機能以外の何物でもなくしてしまう。単なる機能になれば、他人の眼差しによって可能性や身体が凝固することはない。気楽な気持ちで居られる。他人どころか、自分自身すら苦にしない。しかし、これは根本的な自己欺瞞《ぎまん》である。

（« L'Être et le Néant »）

「自由であること」は人間の根本です。**自己欺瞞とは、このような自由から目を背ける姿勢です。無関心は、この「自由」に抵触するのです。不安と自由は、「人間である」最大の根拠なのです。**

サルトルは、不安には二種類あると主張します。

静寂主義や不活動に導く不安もあれば、行動を促す不安、自分の力を果たす不安もある。不安は、行動から隔てるカーテンではなく、行動そのものの一部である。

（« L'Être et le Néant »）

静寂主義とは、西洋の神秘主義に属する思想です。自分で決定することを避け、一切を神に一任します。静寂主義の人たちはあらゆる積極的態度を捨ててしまうため、十七世紀末に異端として正統から排されました。

わたしたち人間は、本来、自由です。それを拘束し我有化することは、自らの自由に抵触します。サルトルの他者論は、「私は私の自由と同時に他人の自由を望まないではいられなくなる。他人の自由を同様に目的とするのでなければ、私は私の自由を目的とすることはできない（« L'Être et le Néant »）」で結着します。

「他人の目を気にしない」のではなく、「他人の目とつき合う」のでなければなりません。それは、自分の自由を尊重することであり、また、他人の自由を尊重することです。「無関心」でいる人は、自らの自由を放棄し、自らを物化させてしまうのです。

サルトルのパートナーであり、生涯の盟友であったボーヴォワールは、面白い喩《たと》えをしています（『PYRRHUS ET CINÉAS』より、著者大竹訳。以下、原典名記載のものは同）。

> すねている子どもは、部屋の隅っこに行って言います。「もうどうだっていいや」。ほどなく、彼は周りを眺め始め、イライラし、退屈し始めます。それは無関心への不安です。自分で自分を去り遠ざかっておきながら他人を呼ぼうとする、無関心への不安なのです。（« PYRRHUS et CINÉAS »）

大人だって、すねてしまうこともあるでしょう。でも、すね続けてはいけません。すねていても、いつか必ず、「見てもらいたい」「発見してもらいたい」と願ってしまいます。自分で無関心を装っても、**結局は他人からの無関心には耐えられなくなるでしょう。**

すなわち、**わたしたちを真に不安にさせているのは、「他人の目」そのものではなく、他人から一切目を向けられなくなることなのです。**自分から他人に対する無関心を装っているうちに、**誰も自分に関心を向けなくなってしまうこと**だったのです。

すね続けることは、相当にエネルギーを使います。どうせ尽力するなら、無関心の牢獄から抜け出すことにエネルギーを向けましょう。こちらは、かなり難易度は低いです。なぜなら、この牢獄に入って扉を閉めたのは、自分自身。いわば、内側に鍵があるようなものだからです。外からは開けられませんが、**その気さえあれば、いつでも自分で内から開けられます。**

［無関心への禅からの警告］

江戸末期に今北洪川《いまきたこうせん》の『禅海一瀾《ぜんかいいちじゅん》』を批判した陽明学者の東沢瀉《ひがしたくしゃ》は、「名誉を避けようとする心は、結局のところ、名誉を求める心だ（『証心録』巻下）」と述べています。**必死に無関心でいようとすることは、関心に捕らわれている何よりの証**なのです。

無関心を装うのは、視線や言葉などの他人からの侵食から身を守る姿勢かもしれません。しかし、わたしたち誰もが、他人と関わり合いながら、生かし生かされています。名前にしても、他者がつけたものですし、言葉にしても、経験を通して他者から伝えられたものです。無関心を貫こうとすることは、あらゆる縁を断ち切ろうとすることなのです。

臨済宗の修行道場で読まれる『中峰《ちゅうほう》和尚座右銘』には、無関心を戒める教えがあります。

生死の問題は我々が解決すべき一大事であり、時間を惜しまなくてはならない。この世は無常で人生はあっという間に終わるのであり、時間は人を待ってはくれない。人間に生まれてくることは難しいのに、今すでに人間の身を受け、仏法を聞くことは難しいのに、今すでに教えを聞くことができたのだ。この身を今の生涯で済度《すく》わないならば、一体、どこに生まれ変わった時にこの身を済度うというのか。

誰の命にも限りがあります。死は、誰にとっても最大の不安の要因となっていることでしょう。だからといって、無関心を装い時間を浪費することは、限りある命を徒《いたず》らにしてしまうことなのです。むしろ、あっという間に終わる人生だからこそ、主体的に自由になれるのです。そして、**他人と関わり合うことで、自らを精進させながら限界を超えることができるのです。**

何度か仏前結婚式でお話ししました仏教説話を紹介しましょう。

むかし、二人の画家がいました。王さまの命令に従い、二人の画家は、宮殿の壁画を描きました。二人の画家は互いにみずからの技術を誇っていて、その技を比べようとしていました。

半年を経て、一人の画家は壁画を仕上げました。しかし、もう一人の画家は自分の描くべき反対の壁面を磨いていています。壁は日ごとに光を増すばかりで、一筆も描かれることはありませんでした。けれども、二人の画家はともに壁画は出来上がったといいます。王さまをはじめ、多くの群臣がそこへ行ってみると、一方の壁画は鮮やかに描かれていますが、他の一方の壁画は、薄衣を隔てたように縹渺《ひょうびょう》として、一段の趣きを添えています。よくよく見てみると、向かいの壁に描かれた画が磨かれた壁面に映っているのでした。

（『根本説一切有部毘奈耶薬事』巻第十六）

壁面を磨いて、もう一人の画家が描いた絵画を映すことは、相手を引き立てることです。そして、映し出された相手の絵画によって、自分自身も表現されるということです。

一人の画家が仕上げた壁画のように、大きなことを成し遂げれば人目をひきます。しかし、それは誰にとっても見えるもの。むしろ関心は、「わたしに見える」が大事なのです。たとえ何も成し遂げていなくてもいいのです。

関心は、もう一人の画家が磨き上げた鏡のように、わたしたち自身に映し出されるものなのです。目立たなくてもいいのです。むしろ、秘めやかで慎ましいものへの関心が、本来の関心になります。

これが、仏教が説く思いやりです。思いやりは、一方的なものではなく自他双方向のものです。

つい先頃、妻がわたしの母から茶道を習いたいと言い出しました。お寺の日常というのは結構忙しく、わたしはその申し出を母にも伝えず、生返事で何となく答えていたのですが、二週間ほどして「お茶の件、お義母さまに言ってくれた？」と言われてしまいました。そう言われて図らずも、この「二人の画家」を思い出しました。

この説話は、夫婦間の関心を戒めるものでもあるようです。忙しいことを言いわけにして、無関心を装い、怠け者の夫であったことに気づかされました。

江戸時代前期の禅僧、盤珪永琢《ばんけいようたく》禅師の逸話も紹介しましょう。盤珪禅師は、易しい言葉で説法を行ったため、藩主から一般庶民に及ぶ広範な人々から親しまれた僧侶です。

あるとき、弟子の僧の一人に、「私は生まれつきの短気で、どうにも困っています。何か治る方法はないでしょうか」と訊ねられました、盤珪禅師は答えます。

「それは面白いものを生まれつかれたのう。今でもその短気はあるか？　あればここへ出してみよ、さっそく治してやる」

弟子は、「いえ、ただ今はございませんが、ひょっとした拍子に出てくるのです」とあわててしまいます。そして盤珪禅師は答えます。

「それなら生まれつきではなく、ひょっとした拍子にお前自身が出すのだ。自分で勝手に短気を起こしながら、それを生まれつきなどと、親に難題をかける大不幸というものだ」

「無関心」も短気と同じでしょう。短気な人になるためには、短気であることを証明し続けなければなりません。相当なご苦労と言えるでしょう。無関心であり続けようとすることにも、ずいぶんな努力が必要です。「生まれつき無関心である」人などいません。力を尽くすなら、関心へと向けていきたいものです。

【無関心とのつき合い方】

無関心は、不安をなくしたい気持ちが生んでしまう心の姿勢の一つです。しかし、この心は不安そのものよりも厄介です。不安を忌むばかりに無関心になってしまうことは、自分を牢獄に閉じ込めてしまうことです。

ボーヴォワールはそんなわたしたちに、「すねてはダメよ」とお灸を据えました。

サルトルは「無関心は、人を機能以外の何物でもなくしてしまう」と無関心へ引導を渡しました。

盤珪禅師は「生まれつきなどと言って親に難題をかけるな」とたしなめています。

たしかに、他人や世界との関わりには、大なり小なり不安があるものです。しかし、この不安を活かせるのがわたしたち人間です。**不安は薬にも毒にもなります。**どちらになるかはわたしたち次第。

無関心は根本的な自己欺瞞です。世界は常に開いています。その開かれた縁に応えていくことです。

とはいえ、無自覚に無関心になってしまっていることもあるでしょう。そんな自分もまた、素直に認めてやってください。

不満足

L'insatisfaction

「足りていない」という状態は、決してわたしたちを苦しめるものではありません。「不足はだめ」という思い込みが、「不満」を呼び、わたしたちを苦しめるのです。そして、「不安」を引き起こします。

「不足」は事実ではなく、幻想です。

人間とは、「不足のまま足りている」、奇跡的な存在です。

「備えがあっても不安は残る」

将来への不安に対しては、備えによって抗することが正攻法でしょう。

たとえば地震。特に日本は地震多発国。マグニチュード6・0以上の地震の約二割が、日本で起こっています。そこで大切なのが、備え。「大きな地震が来るのではないか」という不安が、わたしたちを備えへと突き動かします。事が起こった際、乗り切るために必要なものは「防災セット」として購入できますし、東京消防庁のホームページには、「地震に対する10の備え」がまとめられています。

「備えておくべきものは備えておく」、これが有事への適切な心構えです。とはいえ、どこまで備えられれば充分なのでしょう？

たとえば、「海接近禁止！」はどうでしょう？　いつでもどこででも大きな地震が起こりうるのだから、「海には絶対、行かない、近づかない」。至極、合理的です。

あるいは、「日本脱出！」。わたしの知り合いの一人は、地震警戒を最大の理由に海外へ移住しました。

わたしは今、三浦半島に住んでいるのですが、以前は東京に住んでいました。移住の大きな理由は妻の懐妊でした。家を建てる場所を決める際に、国土交通省や市町村の役所が公開している津波ハザードマップを大いに参考にしたのを覚えています。

いずれも、地震が不安の根っこにあります。だから、「地震が起こりえない場所で生活する」。たしかに合理的ですが、大きく勘違いしていることがあるようです。

「いつでもどこででも」とは、「予測どおりにはいかない」ということなのです。実際に、二〇一六年熊本地震を引き起こした断層帯でのマグニチュード7・0以上の発生確率は、三十年以内1％未満というものでした。南海トラフ巨大地震と首都直下地震に限れば、回避できる地域を予想できますが、他の地震はどうしましょうか。

地震に備えるとは、地震への不安をなくすことではありません。「海に行かない」「日本から出る」ことと、「不安がなくなる」ことはイコールではありません。むしろ、このような決定は逆効果、不安をより強くしてしまいます。**不安をなくそうとする限り、わたしたちは不安に取り憑かれてしまう**のです。取り憑かれているのですから、どこに逃げても、どこにでもついてきます。どんな備えをしても「満足できない」人は、永続的に自ら不安を生み続けてしまうのです。

［不満足と不満と不足］

「満足できない」を熟語にすれば「不満足」になります。

「不満足な条件」の用例では、就職活動のシーンなどがイメージされるようです。希望する条件のいくつかが受け入れられなかったのでしょう。「不満足な出来」では、創作シーンでしょうか。まぁ、創作は常に不満足なものかもしれません。

満足の対義語として用いられる不満足ですが、取り扱いには注意が必要です。

そもそも、満足は「満ちる」「足りる」の二つで構成されています。辞書を引きますと、「満ちる」の意味は「いっぱいになる」。「足りる」は「十分にある」と書かれています。肯定で使う限り、それほど大きな違いはなさそうです。ところが、不満足という否定形は、「不満」と「不足」の二つにわけて考えなければなりません。

「不満」は「納得できない」「飽き足らない」、「不足」は「十分ではない」の意味になります。「不満」の英語訳の《discontent》は「不平」も意味します。欲求不満の《frustration》もあります。「不足」の英訳は《shortage》、これは「欠乏」も意味します。

このように、「不満」と「不足」は違うものです。

不足は、ただ状況を指します。不満は、評価や比較に基づく気分のようなものです。何かと比べて少ないとき、劣っているときに不満が生じます。だから、不満を口にするとき、それは心中の吐露になります。が、不足を口にしても、せいぜい冷静な状況分析をした程度でしょう。

「不満」と「不足」の違いは、「欲望」を介してみるといっそう際立ちます。

不満は「欲望が満たされていない」気持ちです。したがって、**不満は新しい欲望を生み出します。**

不足はどうでしょうか。「足りない」という現状は、むしろ欲望を反省させる契機になります。「金額不足」「運動不足」などの不足によって、「欲しいものをもっと買いたい」「運動イヤだ」などの欲望の手綱を締めることになるでしょう。つまり、**不足は不満を制するの**です。

ラ・フォンテーヌの寓話に「黄金の卵を産む雌鶏」という有名なお話があります。

ある男が黄金の卵を産む雌鶏を飼っていた。彼は信じた。この雌鶏の体の中に黄金が

あるはずだ。そこで、この鶏を殺して、腹を開けてみた。しかし、普通の卵を産む雌鶏たちと何一つ変わらなかった。こうして男は最も大切なものを失った。
貪欲の輩よ。夕方には大金持ちだった者が翌朝には無一文になった例を、多く見ているのではないか。一時に財を得ようと焦ってはだめだ。
（« La poule aux œufs d'or »）

イソップにも同じ内容の寓話があります。こちらも紹介しましょう。

ヘルメスを崇拝することひとかたならぬ男がいた。神はその褒美として、金の卵を産むガチョウを授けた。しかし、この男、ガチョウが金の卵を産むのが待ちきれず、その中身が全部、金でできていると思い込んでガチョウを殺してしまった。だが中身はただの肉だった。男は期待を裏切られ、ついでに金の卵も失ってしまった。強欲な者は、あるもの以上のものを欲しがって、あるものも失ってしまう。
（« Ésope Œuvres complètes: Les 358 fables, Traduction par Émile Chambry »）

ガチョウを殺してしまったのは、「もっとお金が欲しい」という不満でした。しかし、彼は不足していたのではありません。「足りているけどもっと」が、すべてを失う引き金でした。ラ・フォンテーヌは「一時に財を得ようと焦ってはだめだ」と締めくくります。イソップは「強欲な者は、あるもの以上のものを欲しがって、あるものも失ってしまう」と諭しています。

「満たされていない」人と「足りていない」人は同じではありません。もし不満があるなら、現実的に不足しているかどうか、省みる必要があります。「もっともっと」と駆り立ててくる欲望は、たいてい脳が作り上げたもの。**現実的ではないからこそ、暴走してしまう**のです。

不満は戒めなければなりません。なくさなければなりません。一方の不足は、常に「然るべくある」ものです。なくなってしまっては、むしろ大変でしょう。不足は人間の常態。不足をなくすことはできません。そして、不足はわたしたちを成長させるのです。

[「不足」は「自己」を知るきっかけ]

しばしばわたしたちを足元からひっくり返してしまう「欲望」を、人間の成長へと昇華させたのが、十七世紀のフランス哲学の巨人、デカルトです。「我思う、ゆえに我あり」は哲学史上、最も有名な命題の一つでしょう。

デカルトの代表作の一つに『情念論』があります。このタイトルどおり、デカルトはさまざまな情念を解析した上で、わたしたち人間の原始的な情念として六つを導き出しました。それが、「驚き」「愛」「憎しみ」「喜び」「悲しみ」「欲望」です。さらにこの六つのうち、特に「愛」「欲望」を最も価値あるものとしています。

「愛」は、わたしたちが「善」と感じる対象に、自分自身を合一させていく情念だとデカルトは説きます。そして、この愛の情念を行動に移すために、身体的な情念としての欲望が欠かせないのだと。

しかし、先に見たとおり、欲望はしばしば破滅をもたらします。欲望が愛（善の追求）のエンジンになるには、「欲望の統御」、つまりブレーキングが必要なのです。

> 統御すべきは欲望であり、そこにこそ道徳の主たる有用性が存する。真なる認識に従っている場合は常に善く、何らかの誤りに基づいている場合は必ず悪い。欲望について最もふつうに犯される誤りは、わたしたちに由《よ》るものと、由らないものとを区別しないことだ。わたしたちに由る善いことをなす限り、どれほど熱心な欲望を抱いても、熱心すぎることはない。まったくわたしたちに由らないものを熱心に欲してはならない。それらを望めばそれだけいっそう、わたしたちを苦しめることになるだろう。
>
> （« Les passion de l'âme »）

「**わたしたちに由るものと、由らないものとを区別する**」、ここが欲望の統御の要と言えるでしょう。「不満」は常に、わたしたちを欺きます。それは「わたしたちに由らないもの」を希求しているからです。
欲望は「身体的な情念」です。ここを無視して、頭だけで捏造《ねつぞう》すると度を越えてしまいます。「望めばそれだけいっそう、わたしたちを苦しめる」とデカルトも戒めています。
だからこそ「不足」が大切なのです。不安に駆られて不足まで消そうとすることは、自分の首を絞めるに等しい。「不足」が、「わたしたちに由るもの」かどうか自省させます。

「不足」は、「自己」を知るきっかけになるのです。

「『足りない』に囚われなければ、「不満」にはならない」

「自己」なるものを、「足りている」「足りていない」という対立を超越しながら究明していく道が、禅です。

わたしたちが普段、何げなく使っている考え方に「AかBか」があります。たとえば「優劣」や「長短」、あるいは「老若」など。しかし、このような相対的な思考には、必ず限界があります。

いったいどこからが「優れて」いて、どこからが「劣って」いるのでしょう？「長い短い」を分かつ基準点は、いったいどこにあるのでしょう？「老い」といっても、どこから先が「老いている人」なのでしょう？

このような「どこ」は、実はどこにもありません。「足りる」「足りない」も、これと同様です。どこからが「足りている」のか、どこからが「足りていない」のかを分断する、誰にも共通するような不変的基準など、どこにもありません。しかしわたしたちは、「足りない」に意識が向いてしまうのです。

しかし、「足りない」に囚われなければ「不満」にはなりません。「足りない」に囚われる心は「我」である、と仏教は導いていきます。「我欲」とも言い換えられます。「我欲」なるものも「足りない」から生まれます。しかも、我欲なるものが満たされることは決してありません。なぜなら、**我欲は自らの存在のために、次から次へと「足りない」を見つけていく**からです。

お金、学歴、友達、健康、容姿、他者からの承認など、「我欲」は種々多様なところに発生します。

友人はいるけどもっと欲しい。生活に困ってはいないけれど、もっとリッチになりたい。どれほど容姿が優れている人にも、上には上がいる。恋人だって、もっといい人が他にいるかもしれないのです。

このように、我欲はどこまでも「足りない」へとわたしたちを引っ張り込みます。「わたしが持っていないものを誰かが持っている。わたしが持っているものよりもっといいものが他にある」。

これが我欲の引き金になります。そして、「持っていない」という思い込みによって、不安はますます強くなり、心が不安で縛られてしまいます。そして、こんな不安を解消しようと、「今よりももっと」という厄介な我欲が生まれてしまうのです。

今よりももっと恵まれた環境のもと生まれたかった。今よりももっと可能性のある会社に勤めたかった。今よりももっと、自分の才能を認めてほしい。

しかし、**「今よりももっと」という心は、自ら好んで不安を生み出しているような**ものです。**「不安などなくしたい」という気持ちが、ますます不安を増やし、不安を重くしているの**です。

わたしたちはこうして、自分が生み出した不安によって、自らを苦しめてしまうのです。これを自縄《じじょう》自縛《じばく》と言います。

いったい、「どこ」に「足りない」とする基準があるのでしょう？　そんなものはどこにもありません。「我欲」なるものは幻想でしかないのです。

わたしたちの生活では、他人と比べられることがあまりに多い。その結果、わたしたちはうっかり、大切な何かを忘れてしまいがちです。

【自分の内の宝珠に気づく】

お釈迦さまの晩年八年間に説かれた教えを記した代表的な経典、『法華経』の中に次のようなお話があります。

一人の男がいて、友人の家に行きました。お金持ちで裕福な友人は、多くの飲みものや食べものを男に与えました。裕福な友人は、男を十分に満腹させたのち、無価の宝珠、つまり、価格がわからないほど高価で貴重な宝石を男の衣服の端に結び目をつくり、中に縫い込んで、外出しました。その間、男は酔って寝ていますからそのようなことはまったく知りません。

男は旅立ち、他の国に行きましたが、不運に出くわして乞食となってしまいました。

手に入れた食物だけで安心して、上等な食物のことなど考えられません。もちろん、以前に、衣服の中に縫い込まれた宝石のことはいまだ知りません。

そんな彼を、かつてこの男に宝石を与えた友人が見て、十分に注意したのち、衣服の端に縫い込んだ宝石を見せました。これを見て男は、最高に安楽な気持ちに満たされました。

（『法華経』五百弟子受記品）

ここでは、お金持ちで裕福な友人を「仏」、愚かな男を「わたしたち」、高価な宝石を「仏の心」「智慧」と、喩えられています。

誰かと比べられずにはいられない日々に生きているとしましょう。そうすると、わたしたちは、この愚かな男のように、**自分の内にある宝珠に気づかず、徒らに外に向かい、さまよってしまいます。**その結果、わたしたちは我から生み出した欲によって奔走させられてしまうのです。

不安と上手につき合うには、何よりもまずこの宝珠に気づかなければならないでしょう。

このお釈迦さまのお話とされる『法華経』の中のお話と同じように、禅宗の公案集（語録）にも、「明珠在掌」（『碧巌録』篇二四則）という言葉があります。「明珠《みょうじゅ》掌《たなごころ》に在り」と読み下します。「明珠」という仏の心のようなものが、誰にも自分の内にあることを意味します。「明珠」はどこかに探し求めるものでもなく、ましてや、優劣などによって比べられるものでもありません。これは自分の内にある豊かさなのです。ですから、わたしたちはただ、自分の内に明珠があることに気づいてしまえばいいのです。

自分の内ではなく、どこか別のところに明珠を探し求めることを、江戸時代の白隠慧鶴《はくいんえかく》禅師は、「譬《たと》えば水の中に居て、渇を叫ぶが如くなり」と述べています。「水中にいながら、喉が渇いた、水をくれと叫んでいるようなものだ」という意味です。

外ばかり向いていると、本来の自分を見失ってしまいます。喉の渇きは、「渇望」とも言い換えられるでしょう。

なぜ「渇いて」しまうのでしょう？

それは、本来、自分の中にある豊かなもの、こんこんと水が湧き出る泉のようなものに気づいていないからなのです。

「足りない」は事実ではなく幻想

デジタル化が浸透している現代では、多くの情報がわたしたちのもとにもたらされます。いつでもどこでも、情報が手に入れられるようになりました。それは、わたしたちの日常が、いつでもどこでも他人との比較に晒されるようになったということでもあります。

その結果、自分に「足りていない」ところばかりに目が留まり、この穴埋めに躍起になってしまいます。こうなってしまうと、ドツボにはまります。不安はますます増え、不安はますますきつくわたしたちを縛ってしまいます。

仕事においては「やりがい」、人生においては「生きがい」という言葉も人口に膾炙《かいしゃ》するようになりました。わたしたちは他人と共存しながら、それぞれの「生きがい」「やりがい」を求めて生活しています。

しかし、これらもまた、求めてやまないものではあるかもしれませんが、事はそれほど簡単ではありません。

「ある」ことが理想とされてしまうと、「やりがい」や「生きがい」がないことがよくないこととされて、「ない」ことでまた不安になってしまうでしょう。

現実は理想とほど遠いものです。順風満帆な人生など、目標にしないことです。地震や台風などの災害や、怪我や病気や事故、愛する人との別離など、想定外のことはわたしたちにいつでもどこでも降りかかってくるのです。

「不足」は人間の常態です。筆者であるわたしたち二人も齢五十を超えて、できないことが増えてきました。特に視力の衰えは顕著です。近視に遠視に乱視に老眼、もはや「足りない」「できない」のオンパレード。もちろん、手術をするという選択肢もあります。とはいえ、わたしたちは「これで足りている」とあきらめています。

京都龍安寺《りょうあんじ》のつくばい、「吾唯知足」は有名ですね。「吾れ唯だ足るを知る」と読みます。この「知足」という言葉は、『大般涅槃経《だいはつねはんぎょう》』にも書かれています。

「足りていない」という状態は、決してわたしたちを苦しめるものではありません。「不足はダメ」という思い込みが、わたしたちを苦しめるのです。

そして不満が生まれます。

「いまよりももっと」を戒めましょう。この心は、「餓鬼」と言われるものです。餓鬼はいつまでも満たされません。

餓鬼の苦しみは自らが生み出している「足りない」という幻想です。**幻想は事実ではありません。**

足りていなくてもなんとかできるのが、わたしたち人間。

人間とは、「不足のまま足りている」、奇跡的な存在です。

無批判

L'absence d'esprit critique

自由と安心を求めて不安から逃げようとすればするほど、わたしたちは不自由になっていきます。わたしたちの不安につけ込み、「唯一無二の教えがある」と、カルトは誘い込んできます。そんな教えに「抗え！」とカミュは激励します。禅僧たちは「疑いましょう」と説諭します。

自由を担保に不安をなくしてもらうことは、人間には許されないのです。

［批判的思考の禁止という恐怖］

二〇二二年七月十五日、参議院選挙の応援演説中に安倍元首相が銃殺されました。そこから再び表面化したカルト宗教の問題。カルト問題の背景にも「不安」があることを見逃してはいけません。

仕事や学業において、どんなに努力をしても報われないこともあるでしょう。どれだけ盤石なキャリアを積んでいても、不運と挫折に遭遇する困難は避けられません。たった一回の挫折が人生の失敗となってしまう、わたしたちは、そんなプレッシャーと不安の中で生きています。

そこに、「あなたの不安をなくす答えがあります。教団の教えこそ、あなたが求めていた答えです」と、カルトは近づいてきます。

「不安が解消される」という教えは、たしかに魅力的です。不安をなくしたいばかりに罠に落ちてしまう。つまり、カルト問題は誰にも通じることなのです。

このような時代だからこそ、信仰を再確認しなければなりません。

そもそも、カルトとはどのようなものでしょう。主に五つの共通点があるようです。「マインドコントロール」「思考や情報のコントロール」「他教団の敵視」「教団への絶対服従」、そして「批判的思考の禁止」です。

このうち、哲学的には、「批判的思考の禁止」こそが大問題です。これによって、人間としての切り札が封じられてしまうのですから。「(この考え・教え・自分は) 間違っていないか?」という問いは、人間的で健やかな思考の証なのです。

「批判的な」を表す英語の « critical » には、「致命的な・重大な」という意味もあります。同じ言葉がこの一見異なる意味を持つ理由を、フランス語、ラテン語とその語源を辿ると、古典ギリシャ語の « kritikos » へ行き着きます。この単語は、「弁別し判断する能力」を意味していました。「批判」がいかに「重大」なことかを示していることがおわかりでしょう。

わたしたち日本人は、批判を、非難や叱責と混同してしまいます。批判に対し批判で応戦しているうちに、感情的な罵倒合戦が始まってしまうシーンを見ることもあります。その点、西洋人は、日常会話のレベルでも何かと批判してきます。だからといって、決して感情的なケンカになることはありません。彼らにとって、「間違っていないか？」という批判的思考は、命に関わるほどに大切なことなのです。

けれども、これがカルト的教義には極めて不都合なようです。この特徴を逆手にとれば、「批判」可能かどうかが、カルトであるか否かを判定するポイントになります。教えの端々に「無批判」が見え隠れしたら、そのような教えから遠のいたほうがよいでしょう。

「信疑の両輪」

信仰とは、無批判に何かを信じることではありません。自問自答しながら、紆余曲折しながら、わたしたちは信に向かうのです。ですから、**「信」と「疑」というのは、車の両輪のようなもの**なのです。

仏教の世界では、「信・行・証」ということが言われます。仏教への信仰、その信仰に基づく行という修行に取り組み、覚りを証し、仏になるのが、仏道というものです。信仰はそれだけで完成するものではなく、必ず、「行」にならなければなりません。そして「信」と「疑」は、わたしたちを「行」へと進ませる両輪なのです。

わたしが毎日読誦《どくしょう》する経典の中に、『延命十句観音経《えんめいじっくかんのんぎょう》』という四十二文字、十句からなる短い経文があります。わたしの家では、五十年前に亡くなった兄の法要を毎年一月二十五日に行います。兄については、父母も祖父母も多くは語らなかったし、わたし自身も兄の名前を知っているだけで深いことは聞いていませんでした。わたしがそれを知ったのは、祖父の原稿からでした。

おもちゃ箱のような棺桶に赤ん坊を入れまして、後でわかったことでありますが、若い夫婦が両親の写真と、私の寺の観音さまの御影を入れまして、手紙を書いて入れたのだそうです。「観音さま、お願いです。この子はとても小さな子です。もしも途中で道に迷っておりましたら、どうかこの子の手をつないでやってください。お父さんとお母さんの写真を入れてあげるから怖がらずに行くんだよ。お父さんとお母さんと観音さまがついているからちっとも怖くないからね」と書き添えました。

右も左もわからない、言葉もわからない幼い兄の旅立ちに、両親が観音さまに最後に託した言葉が、「念念従心起、念念不離心」でした。これは『延命十句観音経』の最後の言葉で、「観音さまが、念ずれば念ずるほど、心より起こり、念ずれば念ずるほど、観音さまが心を離れない」という意味です。

江戸中期、臨済宗中興の祖と称される白隠《はくいん》禅師の高弟である東嶺圓慈《とうれいえんじ》は、観音さまを「隠顕出没大自在を得る」存在だとしています。観音さまは人々を救うために、見えたり隠れたり、さまざまな姿でわたしたちの前に現れ、大自在（ここでは、思いのままに自利利他の行を行えるという意）を得るのだ、と教えています。きっと観音さまが両親の姿となって現れ、「怖がらなくてもいいからね」と兄に安心を与えたことでしょう。

わたしの家族も観音さまを信じ、観音さまにすべてを託し、心から『延命十句観音経』を一心に唱え、兄を送り出しました。そこには、観音さまを本尊として拝み続けてきた「信」の心があったのは言うまでもありません。

しかしこの信仰は、「疑」を踏まえた上での信なのです。

多くの人は、「信疑の両輪」をすでにわきまえているはずなのです。たとえば、「科学信仰」という言葉があります。しかし、誰もが科学や医学は万能ではないことがわかっているはず。まずは「万能であること」を疑い、そして自分自身で科学とつき合ってみなければ、健全な「信仰」にはなりません。

師匠や先輩、僧侶や教祖が言っていることでも、「それが果たして正しいのだろうか」と疑ってみなければならないのです。誰かの意見でも、結局は「自分」で行ってはじめて自分の意見になります。

「批判」は、「慎む」にも言い換えられます。中国・唐代の臨済義玄（臨済宗の開祖）の師である黄檗希運《おうばくきうん》は次のように述べます。

ところが、全て人間というものは、姿かたちにとらわれて、自分の外に仏を求めようとする。求めれば求めるほど、それは見失われるばかりだ。こんなふうに、自分の設定した仏のイメージでもって仏を求め、自分の迷いの心でもって本源の心をとらえようとしては、永劫の果てまで、自分が身を粉にして空に帰するまで努力しても、結局それをつかむことはできない。ところが、一切の思慮をやめ、思慮をなくしてしまえば、仏はちゃんと目の前に現れてくるものなのだ。この心がそのまま仏なのであり、仏がそのまま人間なのである。

（『伝心法要』）

わたしたちはしばしば、イメージを先行させることがあります。そして、そのイメージどおりのものがどこかにあるのではないか、と探し求めてしまいます。黄檗禅師はこれを

「思慮」と表現しています。彼はわたしたちに「イメージ探しをやめなさい」と助言しています。**「イメージを求め続ける」自分を批判し、そして「慎む」**。

「慎む」は、ほどほどにすることです。この「ほどほど」は、わたしたち自身にしかわからないでしょう。

江戸前期の臨済宗の僧、盤珪永琢は、「仏になろうとするより、仏でいることがよけいな造作がなくて近道だ」と述べ、**外ではなく自分の中にあるものへの気づき**について示唆します。

無常が世の常です。歴史が始まって以来、この無常が変わることはありませんでした。だからこそ、不安が生まれてしまうのです。しかし、**不安にはイメージで作り上げられたものもあります。**この不安を「ほどほど」にするのです。

「ほどほど」に生きることは、不安と上手につき合い、そして自分を大切に丁寧に生きることなのです。

［正しい意見に敢えて抗う］

無批判に「正しさ」を受け入れてしまうことは、自分の首を絞めることです。この道理がよくわかる寓話があります。『粉挽きと息子とロバ』です。粉挽き爺さんは、あらゆる「正しい意見」に抗いません。さて、結末はどうなるでしょうか。

ある年寄り粉挽きとその息子、二人でロバを売りに市場へでかけた。なるべく活きがよいように、脚を棒にくくって吊り下げて運び始めた。これを見た人たち、どっと噴き出した。

「なんちゅう茶番をこの親子は演じてるんだ」

これを聞いた粉挽き爺さんは、自分の愚かさを知ってロバを棒から下ろした。ロバはこのやり方が気に入っていたようで、ぶつぶつ文句を言っていた。粉挽き爺さんは自分

の息子をロバに乗せて歩き始めた。たまたま通りかかった三人の商人、その中でも一番の年寄りが言うに、

「おい、若いモンが白髪の年寄りを歩かせてどうする。お前のほうこそ歩きなさい」

息子は地に降りて、今度は粉挽き爺さんがロバに乗った。やがて来たのは三人の娘、一人が言うに、

「まぁ、あのお爺さん。司教さま気取りで偉そうに」

粉挽き爺さんは、息子も自分もロバに乗って行く。しばらくすると向こうからやってきた一人が、

「どうかしているよ。これじゃ、ロバが二人の重さでくたばっちまうぞ。市場で売れるのはきっと、ロバの皮だけだろう」

「もういい加減にしてくれ！」

粉挽き爺さんは腹を立てた。

「これならどうだ！」

二人ともロバから降りて、二人と一頭で歩き始めた。向こうから来たどこかの男が、

「これは世も末だ。ロバのくせに仕事もせず気ままに歩いて。そのかわり粉挽きが不自

由するとは。まるでロバが主人のようだ」
粉挽き爺さんは言った。
「ああ！　わしはロバだ。ロバでいい。じゃがこれからは、誰がなんと言おうが、褒められようが叱られようが、自分の好きなようにするわい！」

（« Le Meunier, son Fils et l'Âne »）

粉挽き爺さんへのアドバイスや苦言は、どれも的を射ているものでした。どれにも正当な理由がありました。だから粉挽き爺さんは敢えて反発もせず、助言に従ったのです。しかし、その結果はご覧のとおり。最終的に粉挽き爺さんの堪忍袋の緒が切れてしまいました。「ああ！　わしはロバだ。ロバでいい。じゃがこれからは、誰がなんと言おうが、褒められようが叱られようが、自分の好きなようにするわい！」

もし、これが、どれもが間違っている意見だったら、ずいぶんお気楽な物語になってしまったでしょう。でも粉挽き爺さんは、どれもが正しいという八方塞がりに入り込んでしまったのです。そしてようやく、粉挽き爺さんは自分で考えるようになりました。

「正しさ」はたくさんある。わたしたちは常に、そこから一つを選び、それを実行しなければならないのです。どだい、正しさをすべて受け入れることは、無理なのです。

批判するということは、自分で考え、決定することなのです。

さて、「自分の好きなようにするわい！」と踏ん切りをつける前に、粉挽き爺さんのこんな発言がありました。

「もういい加減にしてくれ！」

堪忍袋の緒が切れて感情的になってしまったのですが、そうなる前に、「これはわしの決めたことだ！」と「正しい意見」に反抗すればよかったのでしょう。

「反抗」を人間の原点に位置づけたのが、カミュです。カミュは実存主義を代表する二十世紀の哲学者であり、ノーベル賞作家でもあります。

「反抗」と聞けば、『理由なき反抗』や『スクール・ウォーズ』の登場人物たちのような、エネルギーを持て余して暴れる「不良」をイメージする人も多いでしょう。実際に、権威の拒絶や上からの指示や命令への不敬など、共通するところはあります。

しかし、反抗は決して不良たちだけのものではありません。「抑圧されている奴隷だけでなく、奴隷状態にある人を見てしまった人たちにも反抗は起こりうる」、カミュはこのように力説しています。この意味で、カミュが示す反抗は、一般的にイメージされる反抗とは一線を画します。

反抗的行動には、それを貫く情熱的肯定がある。反抗は人間の内にある常に守るべきものを啓示している。

（« L'homme révolté »）

その名も『反抗的人間』から抜粋しました。さらにこんな発言もしています。

反抗は、すべての人間の上に、最初の価値をきずきあげる共通の場である。われ反抗す、ゆえにわれらあり。

（« L'homme révolté »）

反抗は、自由が成立するための必要条件なのです。**わたしたちが自由であるということは、常に反抗が許されていること**なのです。

不安から免れられない。わたしたちはこのような不条理を生きています。しかし、不安に屈することはありません。不安はむしろ、わたしたちを行動へと促します。そして、反抗が行動の契機となります。反抗は、わたしたちを人間に立ち返らせる衝動であり、人間を結びつける契機なのです。

カミュの代表作『ペスト』を参照しましょう。この小説では、「立ち上がる者」と「跪《ひざまず》く者」の、二種類の人間が描かれます。「立ち上がる者」、つまり反抗する者としてペストに立ち向かっていったのが、主人公のリウーや盟友タルーたちです。一方で、権威の代表であるリシャールたちは、ペストに屈し、己の立場に屈し、事なかれ主義を自ら暴露してしまいました。カミュはこの作品で、わたしたちに二つの選択肢を提示します。

「立ち上がったまま死ぬか」あるいは「跪いて死ぬか」。

答えは瞭然です。わたしたちは常に自由なのです。無批判でいることは、自由を他人に委ねてしまうことなのです。

自由を担保にして不安をなくしてもらうことは、人間には許されないのです。

自由と安心を求めて不安から逃げようとすればするほど、わたしたちは不自由になっていきます。

どんな不測の事態にも動揺しないで生きていける「唯一無二の教えがある」と、カルトは誘い込んできます。

そんな教えに「抗え！」とカミュは激励します。

禅僧たちは「疑いましょう」、そして「自分で行ってみましょう」と説諭します。

自由であるということは自分の足で歩いていくことなのです。

険しい山道も茨の道も、自分の足で歩く限り、わたしたちは自由です。

無難・無事

La prudence excessive

わたしたちは、安定と無事を求めて、無難な選択をしがちです。完璧な安定を選べなかったことに、不安を抱きつつ。

けれども、本来の安定とは、転ばないことではなくて、転んでも自由自在に起き上がれること、そして、決して変わらないことではなく、状況に合わせて変化できることです。

［安定志向の罠］

就活に婚活、あるいは終活、はては離活と、現代人は何かと活動したがります。人生の大事なポイントで、なるべくよい選択をしていきたいという意気込みの表れでしょうか。

しかし、これらの背景には、「よい選択をしなければ大変なことになる」という「不安」が認められます。その結果、就活でも婚活でも、「安定」に重点が置かれるようになりました。

刺激的で楽しそうだけどリスキーな会社や人よりも、少しばかり退屈しそうだけども先行きが安定している「無難な」会社や人を選ぼうというものです。終活にも、自分が死んでからも面倒がないようにという「安定」祈願があります。

こうして、「安定志向」という言葉も、ずいぶん耳に馴染んできました。そしてまた、ここ数年、若者たちの安定志向が再燃したようです。

安定している会社と言えば、以前は「終身雇用」「年功序列」という日本型雇用のことを指していました。終身雇用とは退職するまで雇われ続けること、つまり給料がもらえることです。しかも年の数で序列がつき、この序列によって給料がアップしていく、というものです。

けれども、このような「安定神話」は、今や崩壊しているといっても過言ではないでしょう。昨今は、給与ではなく自分のスキルアップ、それにプライベートとのバランスや、副業が可能であるなどの働きやすさが、会社に強く求められるようになりました。これが、現代の「安定」の内実です。

これまでは「終身雇用される潰れない会社」が「安定」でしたが、それが、「自分のスキルと生活とのバランス」「仕事と生活の安定と調和」へと変わったのです。

つまり、時代につれて働き方の内容は変化しても、相変わらず「安定」が希求されていることに変わりはない、ということです。

積極的な転職も、仕事と生活をずっと安定させるためにするものでしょう。もし、再び会社の安定がはっきり認められる世の中になったとしたら、いったい何割のビジネスパーソンが転職を目指すでしょうか。

わたしたちは、まず「安定」を求め、結局は、「無難」な選択をするのです。

わたしたち人間の心理と社会の関係について鮮やかな解析をした哲学者が、エーリッヒ・フロムです。彼の主著である『自由からの逃走』に、こんな一文があります。日高六郎先生の訳（東京創元社）から引用しましょう。

近代社会において、個人が自動機械になったことは、一般の人々の無力と不安を増大させた。そのために、彼は安定を与え、疑いから救ってくれるような新しい権威に、たやすく従属しようとしている。

いったい、わたしたちが求めて止まない「安定」とはどういうことなのでしょう？

就職活動の条件として、「仕事と生活の安定と調和」を最優先にしていたとしても、条件に見合う会社など、それほどありません。「ウチは安定しています」という言葉ほど、当てにならないものはありません。万に一つ、条件に見合う会社があっても、競争率が高くて自分は採用されそうにない。果たして、就職先は妥協したものになります。結果、**「安定を目指していたのにできなかった」という自己不信**に取り憑かれてしまいます。

こうして、「不安定」ばかりに意識が向いてしまい、結果として不安がどんどん湧き出てしまいます。これは悪循環です。

かといって、社会の不安定な構造を問題にしていては、いつまでたっても埒《らち》があきません。仕事と生活のバランスがとれた社会が未だ実現されていないことを嘆いても、仕方ありません。**安定を保証する選択肢など、そもそもありえない**のです。

わたしたち二人には、奇しくも一人娘がおります。やはり親としては、彼女たちに、あえて怪我を覚悟の茨の道を選んでほしいとは思いません。しかし、あらかじめ困難を取り除いた道を用意しようとも考えていません。

どんな道であっても、どれほどの困難があっても、自分の足で歩いていけることが大切なのです。わたしたちは「自動機械」であってはならないのです。

［転んでもだいじょうぶ］

『カシとアシ』というラ・フォンテーヌの寓話があります。イソップ寓話にも同じ話があり、あらかじめ「強い者には抵抗するな」なんて教訓が用意されていますが、今回も、教訓めいたものから離れて、ラ・フォンテーヌの寓話を参照しましょう。

カシの木がアシに向かって言った。

「君にとっては小鳥一羽の荷が重い。風が吹けば、頭をたれなければならない。それにくらべて、オレの体は岩山のようなもの。君には暴風でも、オレにはそよ風。そんなふうに君を生んだ自然を、君は責めてもいいだろう」

アシは答えた。

「お気づかいは無用だ。風なら、ボクたちは怖くない。ボクはしなる。折れることはない。君は今までどんな風にも耐えてきたが、しまいにはどうなるかわからないよ」

ある日、これまでにあったこともない嵐がやってきた。

カシの木はふんばり、アシはなびいた。嵐は狂ったように暴れた。

その力はあまりに激しく、とうとうカシは根っこから倒れてしまった。頭は天に近づき、根っこは地の底にまで届いていたのだが……。

アシは相変わらず、なびいていた。


（« Le Chêne et le Roseau »）


この寓話を「安定とはどういうことか？」考える端緒にしてみましょう。

カシは自分の安定に自信がありました。しかし、この寓話は、「これまでとこれからは違う」ということを教えてくれます。これまで倒れなかったとはいえ、これからもそうであるとは限らないのです。カシたちを襲った嵐のようなものは起こりうるのです。「想定内どおりに歩ける」無難な道を選んでいても、困難はやってきてしまうのです。

としたら、「安定」とは「決して倒れない」ことではなさそうですね。

そう、**倒れてもだいじょうぶなことが「安定」**なのです。

フロムは『生きるということ』という作品で、無難へと誘われがちなわたしたちを、このように叱咤しています。佐野哲郎先生の訳（紀伊國屋書店）をお借りします。

私たちは未知のもの、不確かなものの中へ足を踏み入れることを恐れ、その結果、それを避ける。というのは、実際その一歩はそれを踏み出した後では危険に見えないかもしれないが、それを踏み出す前には、その向こうに見える新しい局面はたいそう危険に、ひいては恐ろしいものに見えるからである。古いもの、試みられたものだけが安全である。あるいはそう見える。すべての新しい一歩は失敗の危険をはらんでいて、それこそ人々がこれほど自由を恐れる理由の一つである。

誰もが恐れを感じるのです。恐れがあるから、わたしたちは自動機械ではなく人間でいられるのです。しかも、その恐怖は踏み出す前と後ではまったく違って見える。
この一歩を踏み出すのに、才能や資格は関係ありません。ただ自分の足で、その一歩を踏み出すだけです。

「無難」という理由で道を選ぶことは、むしろ危険です。それは自分の足の力を見失ってしまうことです。フロムはこれを「ニセの自己の代置」と表現しています。

どんな道でも、いずれはどこかで困難に出くわすことでしょう。わたしたちは困難にうまく対応しなければなりません。それは、カシのようにポキッと折れないことであり、そして、アシのように倒れても起き上がれることです。

真の安定とは、転んでも起き上がれることなのです。大怪我しないことなのです。
舗装された平坦な道しか歩いていない人は、ささいな障害によって転倒してしまうでしょう。そして、下手に転んでしまうでしょう。これが無難の罠です。
むしろ、適度に困難を体験しているからこそ、うまく転ぶことができるのです。そして起き上がったら、また歩き出すことでしょう。

禅の「無事」

今語られた「真の安定」というのは、禅の「無事」が教えるところでもあります。禅での「無事」は、「心配事がなく穏やかであること」を意味する平穏無事の無事ではありません。ましてや、役目や課題、あるいは仕事などがないさまでもありません。

禅では、**「無事」とは、余計なはからいのない、ありのままの境地**を意味します。

「無事」について、『臨済録』という、前述の臨済義玄の言行をまとめた語録に次のようにあります。

諸君、偉丈夫たる者は、今こそ自らが本来無事の人であると知るはずだ。残念ながら君たちはそれを信じきれないために、外に向かってせかせか求めまわり、頭を見失って更に頭を探すという愚をやめることができない。

（『臨済録』示衆《じしゅ》）

前述の、中国の唐代の禅僧、黄檗希運和尚は主著である『伝心法要《でんしんほうよう》』で、「道人とは無事の人である。あれやこれやの心の持ち合わせはまったくないし、道理として説くべきものを持たない」と言っています。

そして、臨済禅師も、「わしの見地からすれば、何もくだくだしいことはない。ただ普段どおりに、着物を着たり飯を食ったり、のほほんと時を過ごすだけだ（『臨済録』示衆）」と述べているのです。

わたしたちは、本来、「無事」なのです。外に何かを求める必要などありません。

したがって禅では、「仏に逢えば仏を殺し、祖師に逢えば祖師を殺す」というように、仏や祖師にすら、神聖な価値を立てることはありません。仏も師匠も、「無事」を見極めるための契機に過ぎないのです。

さらに、中国・元代の中峰明本《ちゅうほうみんぽん》という禅僧は、黄檗和尚『伝心法要』にある「心の外に法は無く、法の外に心は無い」という言葉を取り上げ、「もし、心を悟り尽くしていないから修行で尽くすのだと言うならば、それは薪を抱いて火の中に飛び込んで火を消そうとして、ますます燃え盛らせるようなものだ（『山房夜話』中）」と述べます。

修行によって心を悟り尽くそうとすることは、不安を除こうとしてかえって不安を大きくすること。これでは、本末転倒です。

江戸時代に活躍した前述の盤珪永琢禅師は、『般若心経』の解説書として記した『心経抄』で、「行ずるといって、こしらへて行するといふことにあらず。日用動作の上が般若を行ひて居ることを知るべし（『心経抄』）」と述べています。

つまり、わざわざ、日常から離れた場所で仏道の修行をするのが「修行」ではなく、**日常生活のいろいろなことを丁寧に実行していくことが「修行」**なのだということです。

机に向かっているときだけが勉強ではないのと同じことです。それだけでは机上の空論になってしまいます。

多くの本を通して勉強もする。そして日常生活のあらゆる場面で用いていく。そこにさらなる勉強への気づきが生まれる。修行とはこのような連関なのでしょう。

わたしは、毎年五月のゴールデンウィーク明けに群馬県の北軽井沢に出かけます。標高約千メートルのそこは、まだ寒く、遅れて桜が咲きます。浅間山の林の奥に桜の木があり、大きく豪快に花を咲かせています。しかし、誰一人として、その花を見ません。

さて、桜は町の中の学校の校門の前にもあります。そして、子どもたちとお母さんたちが桜の木の前で写真を撮っています。みんなに「キレイだ、キレイだ」と言われ写真を撮られています。

桜たちは、わたしが通い続けている三十数年、二、三日のずれはありますが、変わらずに大きな花を咲かせ続けています。一方には、林の中で、誰にも見られず評価もされない桜があり、また一方には、町の学校の校門の前で歓声をあげられる桜があります。

しかし、評価されようが評価されまいが関係なくやるべきところを淡々と行う桜の姿に「無事」の一片を見ることができると思うのです。

また、明治から大正、昭和を通じて活躍した俳人の荻原井泉水《おぎわらせいせんすい》に「豆腐」という興味深い一文があります。

豆腐ほど好く出来た漢はあるまい。彼は打見たところ、四角四面のぶつちやうづらをしているけれども、決してカンカンあたまの木念仁《ぼくねんじん》ではない。柔らかさの点では申分がない。しかも、身を崩さぬだけのしまりはもっている。煮ても焼いても食へぬ奴という言葉とは反対に、煮てもよろしく、焼いてもよろしく、汁にしても、あんをかけても、又は沸きたぎる油で揚げても、寒天の空に凍らしても、それぞれの味を出すのだから面白い。

豆腐ほど相手を嫌はぬ者はない。チリの鍋に入っては鯛と同座して恥じない。スキの鍋に入っては鶏と相交わって相和する。ノッペイ汁としては大根や芋と好き友人であり、更におでんに於いては、蒟蒻《こんにゃく》や竹輪と強調を保つ。

されば正月の重詰の中にも顔を出すし、仏事のお皿にも一役を承らずには居ない。彼は実に融通が利く、しぜんに全てに順応をする。蓋《けだ》し、彼が偏執的なる小我を持たずして、いはば無我の境地に到り得ているからである。

（「層雲」第23巻第7号）

豆腐に「無事」を見立てた名文と言えます。豆腐のように、姿や形を変えても安定している姿は、わたしたちが生きていく上でのヒントを与えてくれています。

［不安があるから踏み出せる］

本来の安定とは、転ばないことではなくて、転んでも自由自在に起き上がれること、そして、**決して変わらないことではなく、状況に合わせて豆腐のように変化できること。**

桜や豆腐には、余計な不安はありません。桜や豆腐のままで生きるのが、「無事」の姿なのでしょう。

わたしたちは、往々にして、世間的な価値や、それに伴う欲望や期待などを自分にくっつけてしまうものです。それらは煌《きら》びやかな宝石をちりばめた鎧のようなものです。しかし、どんな高価な鎧でも、自分のサイズに合わなければ使いものになりません。装飾が重過ぎて動けなくなってしまう鎧など、自分を苦しめるだけです。

不安は、余計なもの、分不相応なものを振るい落とす手がかりにできます。不安が強すぎるときは、余計なものがまとわりついているはずだからです。これをブルブルと払い落としながら、自分なるものに気づいていくのです。

先にも書きましたように、わたしたちも、父として娘には「無事」でいてほしいとは願います。しかし、それはあらかじめ、娘たちに障害のない道を用意することではありません。「倒れない」ではなく、「倒れても起き上がれる」ことを願っているのです。

結局は、歩くことの代わりはできませんし、転んで起きるのは、彼女たち自身でしかないからです。

「不安があっても」ではなく、「不安があればこそ」一歩踏み出していける人間でいてほしいと願っています。

無感動

L'apathie

安全な場所は必要です。しかし、安定ばかりがもて囃《はや》され、あらゆる道が舗装されかねない時代だからこそ、敢えて不安定な道も歩いてみましょう。不安定な中では、わたしたちは、積極的に世界を観察し、世界に触れようとするはずだからです。

そこには必ず、感動があります。

「世界はワンダーに満ちている」

日本昔話には、不思議がいっぱいの話があります。西洋の寓話や物語には、テーマや教訓が顕示されていることが多いのですが、わたしたちが受け継いできた物語には、「はてな？」「なんだ、それ？」という結末のものもたくさんあります。それだけ、「なぜ？」「そうか！」のポイントが豊かだということでもあります。

その一つに『鉢かつぎ姫』があります。ざっと物語を追いかけてみましょう。

昔々、一人の美しい姫がいました。しかし、姫のお母さんは重い病を患っていたのです。母君は自分が死んだ後のことが心配です。ある夜、観音さまがお告げをしました。

「姫の頭に鉢をかぶせなさい」

母君は観音さまのお告げのとおりにしました。

「姫の行く末がしあわせでありますように」
それからまもなく、母君は亡くなってしまいました。それから数日経って、父君は姫にかつがされた鉢を取ろうとしました。しかし、この鉢が頭にくっついたまま外せないのです。姫は鉢をかぶったまま暮らすしかありませんでした。

それからしばらくして、新しいお母さんがやってきました。このお母さんは、「なんて気味が悪い！」と姫を野原に捨ててしまいました。
それから何年も、姫は鉢をかついだまま、さまよっていました。鉢をかぶった姿の姫は、怖がられ、そしていじめられ、落ち着けるところはどこにもありませんでした。姫は疲れはて、とうとう川に身を投げてしまいました。しかし、鉢は水に浮いてしまい、姫は死なないままに川岸に打ち上げられました。

あくる日の朝、ある武家の若君が家来たちと通りかかりました。若君はすぐに姫を助けるように命じ、自分の館で姫を介抱しました。回復した姫は、館で働くことになりました。

ある夜、姫は一張りの琴を見つけました。優しいお母さんとのしあわせな日々を思い出し、弾き続けていると、若君の耳にも音色が届きました。その音色は、若君の心を打ちました。

「このような音色を出せる人は世にもまれだ。心もさぞ美しいことだろう。それが今は、鉢をかぶってしまっている。相当な生い立ちがあるに違いない」

こうして若君は姫の身の上を聞くことになりました。

やがて、若君には結婚の話が次々に舞い込むようになりました。しかし、若君は全ての話を断ってしまうのです。「好きな人がいるのか？」と両親は聞きました。若君は「わたしが連れてきた姫と結婚したいのです」と答えます。

しかし、鉢をかぶった姫との結婚などとうてい認められません。それでも若君は姫でなければと首を振るばかり。姫は若君の想いに驚きながらも、「自分がいてはならない」と思いました。

ある夜、姫は館からそっと去ろうとしました。そこを若君に見つかってしまったのです。

「そなたが出て行くなら、わたしも出る！」

その様子を、父君に見つかってしまいました。

「そんなことをまだ言うのか！　ならばわしが鉢かつぎ姫を切ってやる！」

「なにをします！」

「そこをどけ！」

父君が、「えい！」と刀を振りかぶったときでした。鉢が光を放ち始め、とうとう粉々に砕けてしまったのです。鉢の中から出てきたのは、この世の人とも思えないほど美しい姫でした。

こうして姫と若君は結ばれ、いつまでもしあわせに暮らしました。


さて、この話を題材に考えたい問題が二つあります。

「なぜ観音さまは姫に鉢をかつがせたのか？」

「なぜ、姫の心は美しいままだったのか？」

まずは「鉢かつぎ姫」の身になってみましょう。果たして、何が見えるでしょうか。深くかぶらされた鉢によって、視界はほとんど遮られています。わたしたちに許される世界の何割が見えるでしょうか。一本道を進むにも足元しか見えないはずです。ほんの数十センチ先にあるものが見えないでしょう。そもそも一本道かどうかもわからないでしょう。小石などを踏んでバランスを少しでも崩せば、転んでしまいます。

きっと、この姫はゆっくりゆっくり、慎重に、足元から少しだけ見えるものを頼りに歩くことしかできなかったでしょう。ただ、視力は役に立ちませんが、耳や鼻は元気です。おそらく、彼女の聴覚や嗅覚は尋常ではないものになっていたのでしょう。

とはいえ、「見えない」ことはかなりの不安を生むはず。彼女の気持ちを共有するためには、実際に視界を遮られたまま歩くような体験が必要ですね。視覚障害の方たちの話は、大いに参考になるでしょう。

あえて観音さまは、このような強大な「不安」を姫に体験させました。その結果、姫は切羽詰まってしまいましたが、この「不安」を通してますます美しい心になっていったのです。

そのわけは、「感動」によって説明されます。

「小石でもただの小石ではない」

静岡県の三島市にある龍澤寺《りゅうたくじ》の故・中川宋淵《なかがわそうえん》老師が、ある日、修行僧である雲水《うんすい》さんたちといっしょに街で托鉢《たくはつ》をしておられました。

托鉢の列の一番後ろを歩いていた老師のもとへ、五、六歳の女の子が来て、足元に落ちていた小石を渡そうとしたそうです。きっと、大人たちが雲水さんたちにお金を喜捨しているのを見て、自分も何かあげたいと思ったのでしょう。

老師はきちんと手を合わせ、女の子の手が届くように腰をかがめてから、その小石を受け取られました。

途中の休憩のときに一人の雲水さんが、「先ほどの小石、お捨てになったらいかがでしょう」と言いました。これに対し、老師は「小石は小石だが、それをあのお子さんがくれたとき、私が手を合わせ、向こうももみじのような手を合わせてくれた。手を合わせてやりとりをした小石ならば、小石でもただの小石ではないんだよ」とおっしゃったそうです。

「明歴々露堂々」という禅語があります。これは、「目の前にあるものに、少しも隠すことなく、真理、真実が説かれている」という意味です。中川宋淵老師の逸話にも、足元に落ちていた小石だからこそ示された、喜捨しようとする女の子の慈悲の心が表れています。金額や世間の価値では測れないものにこそ、この女の子の心が宿り、その心に老師は感動されたのです。

中川宋淵老師は飯田蛇笏《だこつ》門下の俳人としても知られ、石庭で有名な龍安寺の庭を詠んだ、「龍安寺」という詩作があります。

（前略）

大多数の人が見るように
奇もなく妙もない処に
実は
このお庭の秘密があったのである。

到り得、還り来つて
別事なき風光なのである。

「仏法多子なし」の端的が
石と化《な》って丸出しにころがっていたのである。

歓喜し踊躍しつつ
私は山門を下った。

見よ。路傍のいたる処に
龍安寺のお庭があるではないか。

脚下の小石の
ひとつひとつがうなづいているではないか。

（『命篇』）

さらに、中国・宋代の詩人である載益《たいえき》の「探春」の詩を紹介しましょう。

終日尋春不見春
杖藜踏破幾重雲
帰来試把梅梢看
春在枝頭已十分

（「探春」）

書き下し文と意味を添えておきます。

終日春を尋ねて春を見ず　藜《あかざ》を杖つき踏破す幾重の雲　帰り来たりて試みに梅梢《ばいしょう》を把《と》りて看れば　春は枝頭に在って已に十分。

一日中春を尋ねて歩いたが、春は見つからなかった。あかざの杖をついて幾重にも重なる雲を見ながら歩きつくした。ところが、家に帰って試みに梅の梢《こずえ》を手にとって見たら、春は枝頭に在ってすでに十分であった。

タイトルは「探春」ですが、この詩は、単なる春探しの詩ではありません。真理究明の詩なのです。載益は、真理を探し求めて多くを学んだ結果、真理は近くにあることに気づいたのです。遠くに真理や悟りを探し求めるのでなく、自分の足元に感動というものが隠されていたことに気づいた。

「春は枝頭に在って已に十分」から、真理を求めて歩き続けたからこそ到達した載益の感動が十分に伝わってくるのではないでしょうか。

「感動は足下にある」

わたしたちは、不安と苦しみを抱きながら、一歩先は闇であることを心得つつ、危ない不確かな人生を歩んでいます。東日本大震災や新型コロナウイルスの感染症の経験を通して、物が溢れる文明の脆弱さを痛烈に感じさせられたのではないでしょうか。人生の不確実さや変わりやすさは、これらの大事件を通して多くの人の心の中に刻まれていることだと思います。

わたしたちが、今ここで見ていることは、本当に見ていることなのか。耳で聞いていることは、本当に聞いていることなのか。鼻で嗅いでいることは、本当に嗅いでいることなのか。口で喋っていることは、本心から話していることなのか。

不安がなくなってしまえば、このような反省すら霧消してしまうでしょう。

足元には感動が隠れています。小石にも感動が潜んでいます。じっくり自分の足元を見つめ、一歩一歩歩む人にだけ、それは姿を現します。

「脚下照顧《きゃっかしょうこ》」という禅語に心当たりがある人も多いでしょう。禅寺の玄関をはじめ履き物を脱ぐ場所で、この文字をご覧になったことがあるかと思います。

中国・宋代の『大川普済《だいせんふさい》禅師語録』に「座を下りるとき、僧堂を巡るとき、お茶をいただくとき、おのおの脚下を見よ」とあります。これが「脚下照顧」の由来となりました。

禅宗では、「足元（脚下）をしかと見よ」「本来の自己をしっかり見つめよ」「己の立脚するところを見失うことのないように」といった意味合いで用いられています。

立つ、座る、歩く。すべてにおいて足元というのは、一番身近であり、大切ではあるのですが、普段はなかなかそのことに気づきません。しかし、こうした「立つ・座る・歩く」のような何気ない仕草や瞬間ほど、その人の心や生きる上での覚悟のようなものがはっきりと顕れてしまうのです。

特に日本には、履き物を脱いで家に上がる習慣があります。このひとときをバタバタと無造作にせず、ひと息おいて脱いだ靴をきちんと揃える。そして他の人の分まで揃える。このような余白を持つことで、わたしたちに備わった感動の力が研ぎ澄まされていきます。

【ヘレン・ケラーの奇跡を生んだもの】

「不安」と「感動」について、さらにもう一歩深く進むために、一人の女性の自伝を参照しましょう。ヘレン・ケラーです。『奇跡の人』という映画や舞台公演を見た人もいるでしょう。『ヘレン・ケラー物語』を読んで彼女のことを知った人も多いでしょう。

「三重苦の偉人」という通り名が示すように、彼女は視力・聴力を一歳の頃に失ってしまいます。そして七歳まで言葉を知らずに育ちました。そんなヘレンが、サリバン先生と出会うことによって三重苦を乗り越え、名門ハーバード大学に入学し、実に五ヶ国語を自在に操るスーパーレディになったのです。

その後、ヘレンは、身体障害者のための施設や法の整備、婦人参政権の問題、人種差別問題など、さまざまな社会問題に挑み続けました。

児童向けの物語も重宝しますが、ここではヘレン本人が著した『奇跡の人　ヘレン・ケラー自伝』の翻訳（小倉慶郎・新潮社）を参照しましょう。

わたしたちにとって、ヘレン・ケラーといえば、何を置いてもまず思い出すであろう、《water》のエピソードの部分です。


先生は、私の片手をとり水の噴水口の下に置いた。冷たい水がほとばしり、手に流れ落ちる。その間に、先生は私のもう片方の手に、最初はゆっくりと、それから素早くw-a-t-e-rと綴りを書いた。私はじっと立ちつくし、その指の動きに全神経を傾けていた。すると突然、まるで忘れていたことをぼんやりと思い出したかのような感覚に襲われた――感激に打ち震えながら、頭の中が徐々にはっきりしていく。ことばの神秘の扉が開かれたのである。

さて、ヘレン・ケラーの人生を、サリバン先生なくして語ることはできないでしょう。サリバン先生の手紙が残されています。ここには、ヘレンを教え育てる上での葛藤や喜びや悩みなどが吐露されていて、『ヘレン・ケラーはどう教育されたか——サリバン先生の記録』として明治図書から出版（槇恭子訳）されています。この本から二箇所、引用しましょう。まずは、《water》のエピソードを先生の側から見てみましょう。

私が水を汲みあげている間、ヘレンには水の出口の下にコップをもたせておきました。冷たい水がほとばしって、コップを満たしたとき、ヘレンの自由な方の手に「w-a-t-e-r」と綴りました。その単語が、たまたま彼女の手に勢いよくかかる冷たい水の感覚とぴったり符合したことに、彼女はとても驚いているようでした。彼女はコップを落とし、立ちすくみました。

わたしたちなら、水そのものに触れずとも、「水」を学ぶことはできます。「水」を覚えることもできます。映像や物語で登場する水を、「水」として教えられれば、そうであると理解するでしょう。それらを通じて、ものにはすべて名前があること、この世には、言葉というものがあることを自然に知っていきます。しかし、ヘレンにはそれができません。彼女の学習は、常に「触れる」ことから始まります。視覚、聴覚を失った彼女にとって、触覚こそが、外界との接点でした。

サリバン先生はこんなヘレンの成長を認めています。

彼女（ヘレン・ケラー）の触覚は、目立って発達し、鋭さと繊細さを増しました。彼女は音や運動によって起こされる空気の振動や、床の振動を正確に区別し、手や服に触れるだけで友達や知人を見分けられるだけでなく、彼女の周りの人たちの精神状態までも感じることができます。ヘレンと話をする人はだれでも、喜び過ぎたり悲しみ過ぎたりできないし、その心の動きを彼女に知らせないでおくこともできません。

「触れる」を使ったさまざまな慣用句があります。

「琴線に触れる」は、感動すること。「癇《かん》に触れる」は、気に入らない感じがしてイライラすること。「逆鱗《げきりん》に触れる」は、怒りを買ってしまうこと。

時間やテーマのような抽象的なものにも、わたしたちは触れています。「折に触れる」「核心に触れる」など。触覚以外の五感も、「目に触れる」「耳朶《じだ》に触れる」のように言い換えられます。

わたしたちは「見えない」ことに不安を覚えます。なぜなら、「見えている」が当たり前になっているからです。

暗闇に放り出されたとき、わたしたちはどのように歩くでしょうか。手や足に触れるものを頼りにしながら、一歩ずつゆっくり歩くでしょう。肌に触れる空気も頼りになるはずです。暗闇では、五感の中で触覚は最も研ぎ澄まされるでしょう。そして変化をも感じ取れるようになっていきます。

わたしたちにとって未来とは、まさに「暗闇」に喩えられるものではないでしょうか。未来への不安は、わたしたちの感覚が研ぎ澄まされている証です。だからこそ、**わたしたちは感覚に素直にならなければなりません。積極的に世界に触れていかなければなりま**

せん。

感動的な映画や小説は、泣いたり笑ったりできるきっかけになります。「単調」と感じる日常に刺激を与えてくれます。しかし、これはまだ受け身。映画や小説によって「感動させられる」にとどまります。

「感動を呼ぶ」ストーリーばかりに頼っていては、「感動待ち」の感覚になってしまうでしょう。刺激的なものを受動的に感じるだけでは、感覚は鈍くなっていくばかりです。

わたしたちの感覚の真価は、その先にあります。

鉢かつぎ姫やヘレンたちは超人ではありません。「心の動きを感じる」と言っても、いわゆる読心術ができたのではありません。感覚を開放し、感覚に素直にならざるをえなかった。だから彼女たちは、密やかでささやかな変化を感じられるようになった。きっと彼女たちには、心の動きが、表情や空気の動きとなって感じられたのでしょう。

「センス・オブ・ワンダー」

鉢かつぎ姫はフィクション。ヘレン・ケラーはたしかに、史上稀な偉人です。しかし、彼女たちだけが特別な天才だったのでしょうか？

いいえ、わたしたちとの大きな違いは、彼女たちが身を置いた環境にあります。その結果、**彼女たちは不安を上手に活かして、感覚を大きく開花させていった**のです。

この感覚は、「センス・オブ・ワンダー」と言えるでしょう。

「センス・オブ・ワンダー」は、レイチェル・カーソンの本、その名も『センス・オブ・ワンダー』に由来します。レイチェルはアメリカの海洋生物学者。『潮風の下で』や『海辺』などのベストセラーを生んだ作家でもあります。さらに、『沈黙の春』では環境破壊の実態を報告しました。

『センス・オブ・ワンダー』の扉には、姪の息子への辞が捧げられています。「彼女が願っていたように、この本をロジャーにおくる《She also intended a dedication, and so : This book is for Roger.》」

《wonder》を日本語訳すれば、「不思議」「驚異」になります。ロジャーは幼少期より、レイチェルの別荘に頻繁に遊びにきていたようです。ロジャーへの献辞が示しているように、『センス・オブ・ワンダー』の主たる読み手は、親と子どもです。

さて、この本はこんな始まりをします。新潮文庫『センス・オブ・ワンダー』（上遠恵子訳）から引用しましょう。

ある秋の嵐の夜、わたしは一歳八か月になったばかりの姪の息子のロジャーを毛布にくるんで、雨の降る暗闇のなかを海岸におりて行きました。海辺には大きな波の音がとどろき渡り、白い波頭がさけび声をあげては崩れ、波しぶきを投げつけてきます。わたしたちは、まっ暗な嵐の夜に、広大な海と陸との境界に立ちすくんでいたのです。そのとき、不思議なことにわたしたちは、心の底から湧きあがるよろこびに満たされて、いっしょに笑い声をあげていました。

できれば避けたい嵐の夜の海岸。どんなアクシデントが起こってもおかしくないシチュエーションです。しかし、二歳にもならない幼子を連れて、レイチェルは危険な海岸へと赴きます。不安を感じてしまう状況に身を置くことで、鈍りがちな自分の感覚を取り戻そうとしているようです。

安全な場所も必要です。しかし、安定ばかりがもて囃され、あらゆる道が舗装されかねない時代だからこそ、**敢えて不安定な道も歩いてみましょう。不安定な中では、わたしたちは、積極的に世界を観察し、世界に触れようとするはずだからです。**そして、そこには必ず、感動があります。

目と耳が閉ざされたヘレン・ケラーの世界は、「無音と暗闇の世界」とも形容されるでしょう。一方で、このような闇の中に生きた彼女だからこそ、わたしたち常人とはまったく異なる世界との触れ方をしていたはずなのです。

「不思議」や「未知」の数は、わたしたちとは比べようもないほどに豊かだったのです。

つまり、彼女の世界は、「感動に溢れた世界」だったはずなのです。

できるだけ短い距離で、できるだけ速く、見えているフリをして突っ走ろうとしていませんか？

そうなると、不安が障害になってしまいます。そして、不安によって足元をすくわれてしまうでしょう。

見えるのはわたしたちの足元だけ。だから不安になる。

でも、一歩ずつ、一歩ずつ、感覚を頼りに歩いていくことはできます。その行程で未知の感動に遭遇することもあるでしょう。

その感動は、不安を補って余りあるものになるはずです。

第2章

不安をもたらす六つの「悪癖」

大衆化

Les masses

『大衆の反逆』を著したオルテガは、富裕層の人間や政治家や大学教授や士業など、世間的に評価される仕事についている人間のほうに、「大衆」を認めています。

もちろん、禅僧も哲学者も、正しさを絶対化すれば、即座に「大衆」に堕してしまいます。彼らの特徴は、「不安」を持病とすることです。

【居場所の喪失】

現代の特徴である「不安病」を解明する上で、「大衆」という視点は意義があります。この視点に立って社会と時代を分析した哲学者が、オルテガ・イ・ガセットです。オルテガの主著『大衆の反逆』は一九三〇年に発表されましたが、現代でもなお、いやこれから突入するＡＩ時代においていっそう、意義のあるものになるでしょう。

しばしば誤解されるのですが、「大衆」とは、決して一般人や民間人を指すものではありません。オルテガは、端的に大衆を「大量にいる人」という意味で使っています。『大衆の反逆』では、多くの人が居場所をなくしてしまい、その結果、自分まで見失って、機械のような代替可能な人間になってしまっていることが暴かれています。

この書を手掛かりにしますと、**現代の不安病の根底にあるものが「居場所の喪失」**であることが明らかになります。この本では、**「居場所」は、「個性」や「使命」**などとも言い換えられていますが、多くの人は、それを失ってしまっていることに鈍感だと、オルテガは言います。そして、その喪失感を持ってしまった少数の人たちこそ、「大衆」から脱却し、不安と上手につき合える人たちなのだと。

【正しさの絶対化】

「大衆」の特徴として、「正しさの絶対化」が挙げられます。彼らは常にイデオロギーを振りかざしてきます。そのような「正しさ」を所有していると勘違いする人たちは、自分の力を過信します。その結果、自分と違うもの、わからないものに不寛容になり、そのようなものに対して暴力的な行為や発言をします。

このような**「正しさの絶対化」こそ、不安を宿痾《しゅくあ》**（治らない持病）**にしてしまう**と、オルテガは言います。なぜなら、彼らにとって「正しさ」とは、自分で汗水垂らして考え抜いた結果の答えではなく、単純に数が多い答えでしかないからです。**正しさの根拠はただ「多数派」であることだから**です。

注意すべきは、自分は「大衆」には決してならないと盲信することです。そのような盲信こそ、また「大衆」の一人であることを暴露してしまいます。そんな盲信を、オルテガは激烈に批判します。岩波文庫から出されている佐々木孝先生の訳本から、二つ引用しましょう。

現代の特徴は、凡庸な精神が、自己の凡庸さを承知の上で、凡庸なるものの権利を主張し、あらゆる場所に押し付けようとすることである。

高貴な人間は己の限界を知っている。愚か者は自分を疑わない。悪人は悪でなくなるが、愚か者は死ぬまで愚かだ。

大衆が「自分が正しい」と信じて疑わない姿を、オルテガは「愚か者」と表現し、一方の「高貴な人」は「知る者」でもある、と言います。いったい何を知るのでしょう？

「自分には限界があり、自分にはわからないことがあり、自分の答えが過ちであるかもしれない」ことを知っているのです。だからこそ、高貴な人は謙虚で寛容なのです。反対に大衆は、**傲慢で暴力的です。それが、不安の裏返しである**ことは、言《げん》をまちません。

「「大衆」はパンを求めてパン屋を壊してしまう」

オルテガは、『大衆の反逆』で「大衆」と「貴族」という二つの立場を示しています。

これもまた誤解を生みやすい表現ですが、オルテガの言う「貴族」とは、決して歴史の教科書に登場する「貴族」を意味するのではありません。家柄も財産も地位もまったく関係ありません。

むしろ、オルテガは、富裕層の人間や政治家や大学教授や士業など、**世間的に評価される仕事についている人間のほうに、「大衆」を認めています。**もちろん、禅僧も哲学者も、正しさを絶対化すれば、即座に「大衆」に堕してしまいます。

知識の量は、「貴族」の証にはなりえません。田舎に暮らし、先祖代々の仕事を受け継ぐ人たちや、しばしば**庶民や平民などと蔑まれる人たちのほうが、これからの時代では「貴族」たりうる**のです。

オルテガの「大衆」「貴族」は、「大衆精神」「貴族精神」と言い換えられるでしょう。

さて、なぜ「大衆」にとって「不安」が厄介な疾病になってしまうか、ここを解き明かしていきましょう。やはり、「正しさ」と「多数派」の二つがポイントとなります。

どうにも答えが出そうにない難問に突き当たったとき、わたしたちはどのような「解決法」を採るでしょうか。難問とは本来、答えが選択肢にない問題です。あるいは、選択肢のどれもが「正しい」問題とも言えるでしょう。

とかく現代人は答えを急ぎます。「コストパフォーマンス！」なんてプレッシャーをかけられてしまえば、ゆっくり考えてもいられませんから。難問だろうが易問だろうが、どのような問題であれ、誰よりも早く答えを出すことが優れた人材と評価され、その評価が、キャリアや収入を左右します。

そんな圧力の下で仕事をするわたしたちには、じっくり丁寧に問題に向き合うことなど許されません。とにかく、いち早く答えを出すしかない。ともかく、周りの人がすぐさま納得してくれるような答えを。

というわけで、手っ取り早く、有名人が言っている！　とか、みんなが言っている！　これが最先端だ！　を「正しい答え」として提示します。

こうして、「答えの正しさ」がいつのまにか「多くの人の正しさ」へとすり替わってしまうのです。

「有名人」とか「最先端」のような根拠は、たしかに派手で刺激的です。でも、キラキラしているものは罠になります。その輝きはわたしたちの視力を撹乱させます。目が眩《くら》んでしまうから、**「わからない」こともわからない**のです。「わかったつもり」になってしまうのです。が、この姿勢は危険です。

目前の霞がはっきりしてくると同時に、「わからない」ことたちが突然、目の前に出現するからです。目隠しをされて連れて行かれた暗い山中に、一人ぼっちで放り出されてしまうようなもの。**目隠しを外されたとき、一挙に押し寄せるものが、「不安」です。**「見えなければ進めない」人たちは、一歩も進むことができません。不安はますますきつくなっていき、いずれは不安が宿痾になってしまうことでしょう。

これに対し、「自分にはわからないことがあることを知っている高貴な人、貴族」たちは、**見えないわからないことに対して、さほどの不安を感じることはありません。もともと、そういうものがあることを知っていたからです。**だから、「見えなくても探り探り」歩いていけるのです。

わたしたちの身の回りには「わからない」が尽きないはずです。**わたしたちの世界の豊かさは、「わからない」ことの豊かさ**であるはずです。

しかし、「大衆」はこの「豊かさ」に耐えられません。彼らは不安から逃れたいばかりに確実な正しさにすがります。そして、それは、自分で自分の首を絞めるようなことです。

オルテガはこれを、「パンを求めてパン屋を壊してしまう」と喩えています。

「わかる」ことだけで充満した世界は、とても貧しく、そして不健康なものです。

「満足しきったお坊ちゃん」

第1章で「無関心」の人たちを、「すねている子ども」に喩えました。これはボーヴォワールの比喩でした。再度、ここで引用しておきましょう。

すねている子どもは、部屋の隅っこに行って言います。「もうどうだっていいや」。程なく、彼は周りを眺め始め、イライラし、退屈し始めます。それは無関心への不安です。自分で自分を去り遠ざかっておきながら他人を呼ぼうとする、無関心への不安なのです。

オルテガは、『大衆の反逆』で、さらに辛辣な比喩をしています。「満足しきったお坊ちゃん」です。

満足しきったお坊ちゃんは、有り余った手段のみを受け入れて豊かな世界に住みついている。素晴らしい道具、ありがたい薬品、先々を考えてくれる国家、快適さを保証している種々の権利に囲まれている。しかし彼らは、そうした薬品や道具を作り出す難しさを知らない。国家組織の不安定なことに気づかず、自分の内部にほとんど義務感を持っていない。

つまり「満足しきったお坊ちゃん」は、誰かにあらかじめ用意してもらうことや、もらうことばかりに慣れきってしまって、「それがどのように作られるのか？」「なぜそれがあるのか？」「それがなくなったらどうなるか？」などへの関心がまったくないのです。

そして、所有することに執着しています。**物だけではなく、正しい答えも所有の対象**です。

このように執着するのですから、他の人に何かを押しつけることはあっても、与えることはありません。彼らの世界の中心は自分であり、すべてが自己完結してしまいます。自分にとって最も「わからない」もの、つまり他者への関心も配慮もありません。

【「わからない」を大切にする】

正しさにすがり、自分のペースやサイズを忘れてしまうとたいへんです。まずは、**いきなり答えを探すのではなく、「わからない」「見えない」に素直になって、関心の感度を上げていくこと**です。

「わからない」「見えない」を忌避し、「わかる」「見える」に依存する「大衆の精神」を反省する。**他人の批判よりもまず、自分自身の内側で反省する。**これが現代特有の「不安病」を克服する奥の手です。

克服といっても、なくすことではありません。不安と上手につき合うことです。また達人にだけ許されるものではなく、誰にでもできることです。なぜなら、眩《くら》まされた目を休めて、そして目をちゃんと開ければ、「見えない」ことがちゃんと見えてくるのですから。

それによって、不安が宿痾になることを防ぐことができます。

正しい答え

Le sans-faute

「正しい答え」とは、権威が保証する答えではありません。「見える答え」や「わかる答え」でもありません。自らが灯す答えです。ですから、「答え」がなくてもだいじょうぶです。暗闇を歩かせる光が、自分自身の内に灯っているのですから。

［正しい答えへのプレッシャー］

学校のテストで、こんな問題があったらどうでしょう?

「次の征夷大将軍のうち、あなたがドキドキする人は誰ですか?」

あるいは、こんなのはどうでしょう?

「次の三つの証明問題から、あなたがワクワクする問題を一つ選び、解きなさい。ただし、解があるかどうかは保証しません」

こんな問題があったら楽しそうですが、採点するほうは困ってしまうでしょうね。あなたが先生なら、どんな採点基準にしますか?

当然ですが、「ドキドキ」「ワクワク」には○も×もありません。だから、みんな満点になるかもしれないし、みんな零点かもしれません。こんな試験では、成績はつけられないでしょう。

ということで、あらゆる試験問題は、「正しい答え」を出させます。征夷大将軍なら、○○時代の○代目の誰某《だれそれ》かが問われるでしょう。どれほど徳川吉宗が好きだろうとも、そんな気持ちなど試験問題には無用の長物です。そして、どんな数学の難問でも、解がない問題はありません（もしあったら出題ミスになるでしょう）。

このような「正しい答え」を求められる教育を、わたしたちは受けてきました。

しかし、この「正しい答え」はなかなか厄介です。**「正しい答え」に依存してしまうと、そこには必ず、不安が生産されます。**しかも二重の仕掛けによって。

まず、「正しい答え」があることに慣れ切ってしまった頭には、答えがないことへの耐性がついていません。だから、「答えがない」「わからない」という事態に、たちまち混乱してしまう……。これが一つ目の仕掛けです。

さらにもし、なんとか答えが見つかったとしても、それが「正しいか間違っているか」がはっきりするまでは、萎縮したままです。はっきりしない限り、先に進めなくなってしまう……。これが、二つ目の仕掛けです。

「不安の時代」と言われる現代、**「正しい答えを絶対化し、正しい答えに依存させる」教育に不安時代の根本的な問題がある**ことが、ようやく、少しずつ、人々のアンテナに届き始めましたが、教育現場での対応はまだまだ時間がかかりそうです。

しかし、「正しい答え」だけを拠り所にしないとしたら、いったいどこの何を、わたしたちは信頼したらよいのでしょう？

「自灯明と法灯明」

わたしたちは、小中高と、教科書を理解し、教科書どおりに判断し、そして結果を出すことを教えられてきました。そして、それが正しいことであると信じてきました。しかも、冷厳な「評価」がつきまといます。子どもたちは、「無数にある選択肢」の中で、一回でも選択肢を間違えてしまえば、即座に脱落してしまうレースに参加させられているようなものでしょう。だからつい、手っ取り早い「正しい答え」にすがってしまいます。

信頼すべきは「正しい答え」ではなく、何よりまず自分自身。これが「自灯明《じとうみょう》」の教えです。「自分を拠り所とせよ」という意味で、「教えを拠り所とせよ」とセットになっている、お釈迦さまが入滅されるときに残された教えです。「自灯明・法灯明」として『大パリニッバーナ経』に記されています。

アーナンダよ。今でも、またわたしの死後にでも、誰でも自らを島とし、自らをたよりとし、他人をたよりとせず、法を島とし、法をよりどころとし、他のものをよりどころとしないでいるならば、かれらはわが修行僧として最高の境地であろう。

東洋思想研究の世界的権威として知られた、中村元先生が訳されました『ブッダ最後の旅』（岩波書店）は、『パーリ涅槃経《ねはんぎょう》』の全訳です。

ここで注目したいのは、「誰でも自らを島とし」の「島」という訳語。「島」は、原語のパーリ語では「ディーパ」ですが、「ディーパ」には「中州、島」の意味と「灯明」の意味があります。ですから、**「自らを灯明とし、法を灯明とし」**と解釈することもできます。

インドでは「輪廻」を大海にたとえることがあります。大海に流されないように、**しっかりとした自己という「島」、もしくは「中州」を作り、そこに身を寄せよ、**という意味にも解釈できます。日本に伝わった大乗仏教では、両方の意味が併用されています。

「正しい答え」を求められる教育では、「教科書どおり」が最善の道でしょう。「自分で考えなさい」と指導されても、結局は教科書から答えを探すことになり、拠り所は常に、自分以外になってしまいます。ところが、学校を卒業し、僧侶になり約二十年、教科書には答えが載っていない問題が多々あることを実感しています。

そして、お寺に来られた方々の悩みからうかがえるのは、インターネットなどの普及で生活が便利になったにもかかわらず、不安は解消されていないという事実です。

むしろ、**便利さこそ不安の病巣**なのではないでしょうか。

不安はわたしたち自身が生むものです。ですから、不安を解消しようと教科書の中に答えを求めても、事態は混乱するばかり。自ら不安を生んでいることを認め、そして不安とつき合いながら、自分の中にあるものに気づいていくことしか道はありません。「自灯明」とは、自己の内側に聖なるものを見出すことなのです。

僧侶は仏や祖師に帰依します。たしかにこれは、自分以外のものを当てにしてしまうことのように見られますが、実はこれも「自分を拠り所」にしているのです。

自己の外に聖なるものを見いだすことは、同時に内側に敬虔な信心を起こすことであり、それは、内にある聖なるものに目覚めることでもあります。

法は光に喩えられるでしょう。法を聞くことにより、わたしたちはその光を自分の心に宿すことができるのです。

このように、「法灯明」とは、外に「正しい答え」を探し、それをインストールすることではありません。

十二年前にわたしは、一年のうちに二人の大切な師を亡くしました。松原泰道師と松原哲明師です（編集部注：筆者の祖父と父でもある）。師の一人である松原哲明師は、わたしに「人生の師を探しなさい」とよく言っておられました。

ある日突然、慕っていた師を亡くし、濃い霧のような不安の中に投げ出され、その中で人生の師を求めていく日々が続きました。

それは、自分自身の中で「正しさ」を求める日々でもありました。

不安に覆い尽くされそうな中でも、立ち止まりながら、手探りで新しい道へと進んでいきました。すると、あるとき不意に、活路を見出したのです。

これこそ、「正しい答え」のプロセスです。

正しさを求めていくことは、それを疑うことと切り離せません。**正しさもまた、探り探りなのです。**

信じることと疑うということは、車の両輪のようなもので、両方ともに大切なのです。

「諸行無常」という言葉は、あまりにも有名です。『平家物語』や『方丈記』の冒頭は「諸行無常」を説く教えです。

万物は常に変転してやむことがないという道理は、示唆に富んでいます。もし、「正しい答え」を自分以外の誰かに求めていたら、諸行無常の中を歩き続けることは到底かなわないでしょう。

しかし、それに気づいてしまえば、**わたしたちは本来の「正しさ」を見出すことができます。それは、「自分」という灯明です。**

【自覚すればこそ】

第1章「無批判」の章で、寓話『粉挽きと息子とロバ』を紹介しました。この寓話も「自灯明」に繋がります。道理というものは、洋の東西を問わないのです。

さて、散々非難され、コテンパンに打ちのめされた粉挽き爺さん。半ばキレ気味で「自分の好きなようにする！」と決意しました。彼はここでようやく物事の道理へと覚醒したのです。「自分の好きなようにしかできない」、これは決して、手前勝手なわがままではありません。突然舞い込んだ幸運でもありません。むしろ、わたしたちへかけられた呪いのようなものなのです。

面白いことに、作者のラ・フォンテーヌは寓話の中で、粉挽き爺さんがどの運び方をしたのか書き記していません。これは、「正しい答え」を探し求める人には、酷な結末です。「自分で決めるって言っても、間違っていたらどうするの？」「また怒られたり、バカにされたりするんじゃないの？」という不安に取り憑かれてしまうでしょう。

答えをどこかに探してしまう癖がついてしまっている人には、インターネットは、もってこいのシステムです。「検索」なんてワードがその証拠です。「間違い」に臆病になり、自分で試行錯誤することよりも、「いつでもどこでも」、「正しい答え」を探せるインターネットを頼ってしまう。どうやら、**「いつでもどこでも」という利便性は、「自分」を見失わせてしまうもの**のようです。

粉挽き爺さんのこの寓話から、敢えて一つの教訓を絞り出せば「人間は自由にしかできない」になるでしょう。

「自由」にはさまざまな意味合いがありますが、ここでは漢字に注目してみますと、自由は、「自」と「由」で構成されます。つまり、自由とは「自分に由来する」ことなのです。

しかし、わたしたちにとって大事なのは、実は、このような「教訓」ではなく、教訓までのプロセスです。粉挽き爺さんは、堪忍袋の緒が切れたように決意しました。腹を括ったとでもいえましょうか。これは「自覚」とも言い換えられるでしょう。

「自覚」もまた、「自分に覚める」ことです。粉挽き爺さんには、非難も冷笑も抗議も浴びせられましたが、これらが自覚には欠かせないものだったのです。

さぞかし、粉挽き爺さんは悩んだことでしょう。どのスタイルにしても不安がつきまとったでしょう。しかし、この**不安を乗り越えたからこそ「自由」へと覚醒できた**のです。

サルトルは、こんなことを言っています。

自由はまさに呪いである。しかしそれはまた人間の偉大さが由って来る唯一の源でもある。

（« Présentation des Temps Modernes »）

別の書物、『実存主義とは何か』では、余りに有名なこの表現「人間は自由の刑に処せられている」になっています。

わたしたちは、身体的な存在です。だから、置かれた状況次第で何を選ぶかは変わってきます。「いつでもどこでも」同じ答えが通用することはあり得ません。だからこそ、自分を拠り所にして、自分で決めるしかありません。

これは、非情な道理とも言えるでしょう。サルトルが、「呪い」や「刑」と表現したのも、頷《うなず》けます。しかし、自覚した人はたくましく、しなやかです。

［権威から離れてみる］

「正しい答え」は、しばしば権威となります。

権威には二種類あります。はっきりと名称化される教科書的権威。国家や法などは、その好例でしょう。もう一つが、無意識に刷り込まれてしまう権威。テレビなどのメディアやSNS内で繰り返されるメッセージが挙げられるでしょう。

教科書的権威は、無下にはできないものです。法律やルール、教育や福祉の仕組みなど、わたしたちが適度に安全な暮らしができるのは、この権威のおかげです。しかし、もう一つの、無意識に刷り込まれる権威には要注意です。こちらは、わたしたちの思考力を鈍らせてしまいます。この権威の特徴は、「**断言**」「**反復**」「**感染**」です。

この三つの要素は、フランスの社会心理学者、ギュスターブ・ル・ボンの『群集心理』に登場します。**「断言」「反復」「感染」の三つの手段によって、群衆は「正しい答え」を刷り込まれてしまう**というのです。

メッセージが「断言」「反復」「感染」される仕組みがよくわかる媒体が、CMとSNSです。CMとSNSのメッセージを、ゆっくり観察してみれば、なくてもいい不安を掻き立てるものになっていることに気づかされるでしょう。

CM、すなわち、「commercial message（商業メッセージ）」は、言うまでもなく、商品を売るためのものです。最も効率的な売り方は、「あなたはできていない」「あなたには足りていない」などと**不安を断定し、繰り返し、そして刷り込んでしまう**方法でしょう。

TwitterなどのSNSは、CM以上に問題が複雑怪奇です。ここにある多くのメッセージは、短文で断定的です。何度もリピートされます。そうして、感染が広がっていきます。最大の問題は、発信者自身が気づかないままに、不安を拡散しているところにあります。そして、受信者もまた、気づかないままに不安に感染してしまっているのです。わたしたちは、無自覚に「群集心理」の一部になってしまうのです。

「断言」「反復」「感染」されるメッセージは、SNS内で一つの権威となっていきます。この「権威」によって「正しさ」が保証されます。群衆が求める「正しい答え」を提供します。

しかし、群衆は、「正しい答え」を求めているようで、実は「幻想」を求めているのです。群集にとって**必要なのは、「正しさ」ではなく、不安が消えること**なのです。**多数派でいること**なのです。

不安を増幅させるような事実は、彼らにとって「正しい答え」にはなりません。こうして群衆は、事実から目を逸らし続けます。そして、わたしたちにとって最大の事実である「自分自身」さえ、ごまかし続けてしまうのです。

真の「正しい答え」とは、権威が保証する答えではありません。「見える答え」や「わかる答え」でもありません。自らが灯す答えです。ですから、「答え」がなくてもだいじょうぶです。暗闇を歩かせる光が、自分自身の内に灯っているのですから。

「正しい答え」などない。この自覚は盤石です。

「正しい答え」を刷り込んでくるテレビやSNSとのつき合い方を工夫してみること。敢えて離れる時間を作ることをお薦めします。

承認欲求

L'estime de soi

SNS上で「咲いていない」バラを投稿している人は、どれほどいるでしょうか？　でも、「咲いていない」バラもバラ。

わたしたち人間には、賞賛されるところもあれば、軽蔑されるところもあるでしょう。しかし、咲いているところだけを見て、咲いていないところや弱いところを隠してしまうと、不安に取り憑かれてしまいます。

【ピラミッド型五段階欲求の問題】

ここ数年で、耳にする頻度が急激に増えた言葉に「承認欲求」があります。書籍やインターネットで、「承認欲求」に関する記事を読みますと、大半のアドバイスはアメリカの心理学者、アブラハム・マズローによる「欲求の五段階」を踏襲しているようです。

この理論の注目すべきところは、五つの欲求がピラミッド型に階層を作っていることです。このピラミッドの最低部には「生理的欲求」があり、ここから段階的に、全体との割合を減らしながら、「安全の欲求」「社会的欲求」「承認（英語では « esteem »）欲求」へ、そして最後に「自己実現欲求」へと到達します。

「生理的欲求」は、食事や睡眠などの本能的な欲求、「安全の欲求」は、病気や貧困や災害などを免れた安全な生活への欲求を意味します。「社会的欲求」はどこかに所属していることへの欲求、つながりの断絶を避けたいという欲求ですね。そして「承認欲求」があり、最後に、理想的な自分を実現したいという「自己実現欲求」へと至ります。

問題の「承認欲求」ですが、これは二つに分類されるようです。「他者承認欲求」と「自己承認欲求」です。それぞれ「他人からの承認」と「自分自身による自分の承認」です。マズローによれば、「他者承認」は「自己承認」よりも低いレベルのものとなります。他者からの尊敬や世間的な名利や高評価を得ることにとどまらず、この欲求を経て、自尊心や自信、自立へと達するようにと、マズローは言っています。

でも、このピラミッドをそのまま鵜呑みにしてしまうことは、危険ではないでしょうか。もちろん、段階的な図示も参考になるでしょう。でも、即座に理解したつもりにならず、立ち止まって観察してみる必要があります。ピラミッドですから、最低部から最頂部まで、順にレベルアップしていきます。当然、レベルに応じて、そこに配分される割合も減っていきます。

問題は、これによって、「欲求のレベルが上がれば、実力や評価もステップアップしていくものだ」という誤解が生まれてしまうことです。さらに、最頂部の「自己実現」を成し遂げるのは、ごくごく少数の才能と幸運に恵まれた人間に限られる、と理解してしまう人がいるとしたら、大問題です。

実はこのピラミッドは、彼の母国アメリカの精神科医や哲学者らによって、積極的な批判の対象になっています。主となる批判は「社会的イデオロギーの刷り込み」にあります。そもそも日本に輸入された「イデオロギー」は、マルクスとエンゲルスが著した『ドイツ・イデオロギー』に由来します。彼らはここで、社会におけるわたしたちの「立場（階級）」が、考え方すら決定してしまうことを暴きました。

階級闘争とは、実に、考え方の闘争でもあるのです。つまり、彼らにしてみれば、このピラミッドこそ、「上位から下位を支配する観念」の証拠になってしまうのです。

マズローは、最上部の「自己実現」を成し遂げたからこそ、「上位から下位を支配する観念」としてこのピラミッドを描くことができたのです。そして、そのような観念が、あたかも社会の土台となっているかのように流行していきます。上位の階級は観念形式で（決して暴力ではなく）、社会を支配します。「思考の支配」というのは曲者《くせもの》です。ピラミッド型を、社会的立場から考え方にまで密かに侵入させてしまうのです。

こうして、ピラミッドの上部に属さない人たちは、「できていない」不安に付き纏われてしまいます。自分自身を振り返ることなく、ただ社会的評価によってのみ「承認されていない」と思いこみ、それが「できていない」ことが不安になってしまいます。

【ＳＮＳと不安】

ここ最近、「承認欲求モンスター」が生まれているようです。承認欲求が肥大化して暴走してしまっている人たちです。特に、インスタグラムやTwitterなどで、承認欲求を満たすために過激な行為や、虚偽や攻撃の言葉を投稿する人たちが問題になっています。

ＳＮＳの大きな魅力は、「個人での発信」にあるでしょう。以前は、企業が戦略的に策定する価値が、個人の価値基準になっていました。今や、この順位が逆転し、価値を作り出す主体が個人へと変わりました。インフルエンサーと呼ばれる個人の発言が、大きな企業のＣＭ以上の影響力を持つようになっています。

そしてＳＮＳは、このようなインフルエンサーたちと一般ユーザーとのコンタクトも可能にしています。ダイレクトなやりとりができるかは別問題ですが、少なくとも彼らの投稿にリアクションすることはできます。このリアクションが、インフルエンサーたちに「いいね」や「リツイート」や「フォロワー」の数として可視化されています。

この「いいね」や「リツイート」の数や「フォロワー数」「再生数」「チャンネル登録者数」などの数値は、インフルエンサーに限らず、投稿したり登録したりすれば、誰にでもつきます。

こうして、「認められる＝数が多い」という定式ができ上がり、承認欲求モンスターたちは、投稿や活動の内容そのものより、「数を増やす」ための策略を練ることになってしまいます。それが、過激な行為や偽りの自分へとつながってしまうのです。

ところで、「影響力がある人になりたい」「他の人から認められたい」という振る舞いを「あざとい。恥ずかしい」と思う人もいるでしょう。しかし、これらもまた人間的な欲求の一つです。「他の人から認められたい」からこそ、人間として生きられるのです。

問題は、**SNS上では「影響力」や「承認」が「数字」になってしまうこと。**すごい数を持つ人が目立ち、そして承認される仕掛けになっていることです。その数によって、お金を得ることができる仕組みもあります。

SNS内で承認されるためには、「すごい数を持つ人」になることが条件なのです。発言の質ではありません（その数によって、国会議員にまでなってしまった人がいるくらいですから。その質によって糾弾される結果とはなりましたが）。

つまり、数を得たからといって、尊敬され承認されるわけではないのだけれど、いつのまにか、こうして、「承認」ではなく「すごい数」を目指すようになってしまうのです。その結果、はたして、**「数を稼げない」ことが「認められない」という不安へと変貌して**しまうのです。

日本では往々にして嫌われますが、欧米では自分ができることをアピールすることは、仕事をする上での大事な能力とされています。もちろん、偽りのアピールは逆効果です。しかし、周りの人たちから認められ、そして評価される人たちがリーダーシップを発揮していくことは、欧米でも日本でも変わらないところでしょう。

しかし、SNSではどうでしょうか？

まず「周りの人」って、どの人たちでしょう？　フェイスブックでの上限「友達5000人」でしょうか。「友達100人」でも驚きですが、「5000人」とは、いったいどのような友達なのでしょう。

SNSで「評価」「承認」はどのように表れるのでしょう？　数には限りがありません。無限大まで上には上があります。承認欲求が数字によって決定されてしまうと、本来の承認ではなく、偽りの承認へと容易に駆り立てられてしまうのです。

オルテガの警告する「大衆」は個性を失った多数派でした。これは決して、平々凡々な、数の少ない人たちを指すのではありません。派手な写真や言動を投稿する人たちこそ、事と次第によっては「大衆」になるのです。『大衆の反逆』（岩波文庫）から引用しましょう。

自分を何か特別な理由によって評価しようと自問するとき、たとえば、あれこれの才能がありとかどうとか、何かの分野で秀でているかどうかなどという問いだが、そう自問して、自分には何一つ優れた資質がないと気づいた謙虚な人のことを想像していただきたい。この人は、自分は平凡でありきたりの、才能のない人間だと感じるかもしれない。しかし自分を「大衆」だと感じているわけではない。

「他者からあるがままの自分を受け入れてもらう」、これが他者承認だと説明されていますが、SNSに「あるがままの自分」を晒すことができている人は、どれほどいるのでしょうか。そもそも、SNS上で「あるがまま」など可能なのでしょうか？　いったい、わたしたちの「あるがまま」を認めてくれる人は、どこにいるのでしょうか？　不特定な数万人のフォロワーたちでしょうか？

承認欲求モンスターにならないための、カウンセラーたちのメッセージの要点は、「承認欲求に振り回されない」にあるようです。このモンスターたちは、不安にも振り回されています。「振り回されない」ためには、**「数を整え直す」**ことから始めてみることでしょう。そしてもう一つ、「他者」なるものも整えてみることです。

他者承認欲求はあくまでも低次の承認欲求であり、この欲求に留まることは危険ということでした。とはいえ、「自分で自分を認める」ことは、本来、他者の目を通して可能になるものです。なぜなら、自分で自分を見ることはできませんから。「自分」なるものは、自分一人しかいない世界では成立しません。**自分とは、常に他者との関わりの中で把握できるもの**なのです。

「数」と「他者」、この二つの扱いを間違うと、わたしたちは承認欲求モンスターになってしまいます。しかし、これらをうまく整え直せれば、「認められない」不安があってもモンスター化しないですみます。

そして、**いずれ、誰もが「認められている」ことに気がつくでしょう。**その急所が「身の程」です。

「身の程がいいね」

今、わたしたちを仕事に向かわせる大きなモチベーションは、家族です。「人間のピンチ」「環境問題」、そして「子どもたちの未来」など、仕事に賭ける思いは多くありますが、最大の原動力は家族にあります。家族は、最も具体的で、最も生々しい存在なのです。

子どもたちが勉強する姿にも、「お母さんを喜ばせたい」という気持ちは強く認められます。勉強そのものの意義などは、勉強したずいぶん後になってようやくわかるものなのです。

「身の回りにいる人のために、仕事や勉強をガンバる」、いいじゃないですか。なぜこれが、自己承認の低次元なのでしょう？

「仕事そのものの意義なんかわからないけど、自分の周りの人たちを喜ばせたい」、このような覚悟のある人たちは、承認欲求に振り回されることはないでしょう。身に過ぎた理想を追求している人よりも、家族や友人を喜ばせる人のほうが、不安をうまく活かせているように思います。

「数」はわたしたちを騙します。「数(点数やフォロワー数)が多い人＝エライ人・尊敬に値する人」、こんな先入観を植えつけてしまいます。肝腎なのは、数ではなく内実です。

数万人のフォロワーよりも、数人の友達、あるいは家族。いいじゃないですか。

「水魚の交わり」とか「同じ釜の飯を食う」とか、身体的な交流がいかに大事であるかを伝える慣用句は、たくさんあります。

誰よりもまず、自分の身の回りに、身にふさわしいところに、承認の根底があるのです。どだい、わたしたちには身体は一つしかないのですから。身体こそ、わたしたちに実体を示してくれるのです。

「他者」なるものを不特定多数まで無際限に拡げると、これはもう手に負えません。そんな他者承認を追いかければ、「認められない」という不安が暴れだしてしまうでしょう。

他者も、自分の身の回り、自分の身の程にまで限定してしまいましょう。数と他者を慎み、そして数と他者に親しむのです。

他者とは、自分が触れられる人たちのことなのです。必然的に、数も身の程に限られていくでしょう。こうして、「自己」なるものもはっきりと認められてきます。

> 人間に対して為され得る最も根本的な区別は次の二つである。一つは自らに困難や義務を課す人、もう一つは自らに何ら特別な要求をせず、生きることも既存の自分の繰り返しにすぎず、波の間にブイのように漂っている人である。

もう一度、『大衆の反逆』から引用しました。「貴族的な精神」の人は、自らに困難や義務を課します。しかし、困難や義務は、自分の身の程をわきまえているからできることなのです。絵に描いただけの困難や義務では、自分の首を絞めるだけ。自己承認も他者承認も得られないまま、結局は「できない」不安に押しつぶされてしまうでしょう。

身の程をわきまえる人は、根っこがしっかりしている人なのです。根っことは己の身体性です。この身体性は、抽象的な概念にも適応できます。

数も身の程に、他者も身の程に。満腹以上には食べられません。手に余る物は持てません。手に届かない物は、当然届きません。

ですから承認も身の程に。この身体性を見失って、「ブイのように漂っている人」が「大衆」です。

身の回りの触れ合いにこそ、わたしたちが人間である証があります。そして触れ合うことで、わたしたちは安らぐのです。

でも、人生でわたしたちは何人の人に触れられるでしょうか。触れ合いにも、「身の程」があります。しかし、この**限りある触れ合いにこそ、感動があり、安心がある**のです。

「理想の自分とありのままの自分」

「限りある」、これこそ真の「自己」です。
「自分には何一つ優れた才能も資質もない」、ここに人間本来の姿があります。

社会のトップにいようが、会社のカリスマだろうが、有名芸能人だろうが、「優れた才能や資質がない」と気づいている人といない人では、活動に大きな差が出ます。そして、これを騙し通そうとすることは自縄自縛です。不安を消そうとすることも、この一つです。

「承認されるためには、まず高評価の人間にならなければならない」、こんな思い込みがモンスターを生んでしまいます。

「評価の高い人」が目標になると、評価されないところ、低評価のところを隠してしまうでしょう。これは自分で自分を偽ること。偽りの自分は、御し難い不安となって、わたしたちを苦しめるでしょう。

偽りの自分は、自分の貴重な個性を否定した自分です。

ですから、承認を云々《うんぬん》する前に、わたしたちにすべきことがあります。それは、**自分を偽らないこと。自分に素直になること**です。

個性とは、生来、わたしたちに備わっているものです。他の人から賞賛されるもの、高評価されるものもあるでしょうが、それは、たまたまそのときの社会的な価値に合致しただけ。あくまで「たまたま」でしかありません。流行のようなものです。流行はわたしたちの居場所にはなりません。

自分に「素直」になることは、自分の現実を知ることであり、自分の限界を知ることです。「理想の自分」になることではありません。素直になるとは、自分を飾り立てず、自分の弱さや醜さを露わにすることです。

第1章で「吾唯知足」（われただたるをしる）という禅語を紹介しました。**わたしたちは「不足したまま足りる」存在なのです。**

充足100％という理想からは程遠いですが、そのままで「足りている」のです。

「理想」はなかなかの曲者。これを糾弾したのが、かのニーチェです。主著の一つ、『この人を見よ』から引用しましょう。手塚富雄先生の訳（岩波書店）をお借りします。

　偶像（これが「理想」に相当するわたしの用語だ）を転覆すること、これがわたしの職業なのだ。これまで人々は、理想的世界なるものを捏造し、現実から価値や意味や真実性を奪っていった。今や「真の世界」は捏造された世界であり、「仮象の世界」が現実の世界だ。理想という嘘が、現実の世界にかけられた呪いだったのだ。

ニーチェは、社会に怪我を負わせることも厭《いと》わない情熱家でした。一方、フランスを代表する哲学者アランは、大怪我を負わせない程度に厳しく人間を導こうとしました。

理想とは、賞賛や模倣の対象として作り出されるモデルである。理想はいつも、不似合いな些細な現実から超脱している。

（« Définitions »）

承認されるものは「理想の自分」ではなく、「自分」なのです。だからこそ、わたしたちは自分を承認する前に、自分に素直にならなければなりません。これは、他者と比較して点数がつけられるものではありません。何点をつけられても、「自分」でしかないのです。

自分に素直な人は、同時に、他人からも承認されているものです。

文学者や芸術家たちは、自然の「素直さ」を作品や思想に昇華しています。ゲーテは、ドイツを代表する世紀の大文豪です。有名な作品としては、戯曲『ファウスト』や、小説『若きウェルテルの悩み』があります。知名度は低いのですが、『箴言《しんげん》と省察』という作品も残しています。こちらもまた、人生の豊かさ、自然のゆかしさ、思考の罠などを教えてくれます。潮出版社『ゲーテ全集』から二つの箴言を紹介しましょう。

自然はあやまちをなんら気にかけない。自然自身は、どういう結果が生ずるかにはおかまいなく、ただ永久にまちがいなく行動することしかできない。

わたしたちの誤りは、確実なものを疑い、不確実なものを確立したがるところにある。

自然は弱点を隠しません。素直な人たちも、自分の弱点を隠しません。というより、**「自分ができないこと」を弱みとも考えていません。**身に過ぎた理想で自分を追い立てず、「できること」を果たしていきます。だからこそ、自分に嘘をつかず、自分を偽らずに生きていけるのです。彼らは、自己を拒みもしないし、受け入れることもしません。もちろん評価もしません。

ドイツの神秘思想家アンゲルス・シレジウスは、禅の思想にも大きな影響を与えています。『瞑想詩集』にあるこの一節は、「素直さ」というものをありありと表現しているものとして特に有名です。岩波文庫『瞑想詩集』から引用します。

バラは理由なしにある。それは咲くから咲いているのであり、己自身を気遣うことも、見られたいと欲望することもない。

さてさて、SNS上で「咲いていない」バラを投稿している人は、どれほどいるでしょうか？　まったく、わたしたち人間は容易に素直になれないものです。でも、「咲いていない」バラもバラ。わたしたちも、咲いていなくても自分でしかないのです。

わたしたち人間には、賞賛されるところもあれば、軽蔑されるところもあるでしょう。しかし、咲いているところだけを見て、咲いていないところや弱いところを隠してしまうと、不安に取り憑かれてしまいます。

人間の「ありのまま」の姿は、「定めなさ」や「不確実さ」や「不自由さ」にこそある。

だから、哲学者や禅僧たちは、「ありのままを自覚しよう」と促すのです。そして、これらのネガティヴな本性を認めてしまい、それを生きる力に活かせることが、人間の偉大さであると説きます。

「ありのまま」の自覚をすれば、承認など自ずとついてきます。

いじめ

Le harcèlement

いじめは、いじめる人の不安から生まれます。ただ、これを禁止するといったところで、不安が消えない限り、いじめがなくなることはありません。そして、いじめをやめようと言う代わりに、寛容になろうと言うことです。寛容とは、何よりもまず、わたしたち自身が抱えている有限性を許すことから始まります。

【いじめ防止対策推進法】

わたしは、生誕地を口にすることは、ほぼありません。どうしても答えなければならないときは、「三河です」とだけ答えるようにしています。辛い経験があるからです。序章でも書きましたが、小中学校でわたしはいじめに遭っていました。

給食のときに独りにさせられる、自転車が隠される、荷物がドブに捨てられる。「村八分」という日本史用語が悪利用され、「大竹はムラハチブな」と、度々、仲間外れにされていました。給食だけではなく、体育の授業、遠足などでもそうでした。クラスの男子生徒全員が敵になっていた年もありました。

幸いにも、女子生徒たちによる救いがありました。そして、あくまで学校外に限りますが、独りで過ごすことが苦ではない性分だったので、地元の生徒たちといっしょに中学校を卒業することができました。

それでも、高校は、名古屋の旭丘高校を選びました。「同じ中学の生徒に会いたくない」一心でした。ですから、「いじめ」による悲劇を耳にするたびに、身につまされます。「いじめ防止対策推進法」が二〇一三年六月二十八日に公布されました。大きな社会問題の一つである「いじめ」。しかしこれ以降、SNS関連技術の進歩の影響もあり、残念ながらいじめはさらに深刻なものになっています。冒頭を引用しましょう。

この法律は、いじめが、いじめを受けた児童等の教育を受ける権利を著しく侵害し、その心身の健全な成長及び人格の形成に重大な影響を与えるのみならず、その生命又は身体に重大な危険を生じさせるおそれがあるものであることに鑑み、いじめの防止等のための対策を総合的かつ効果的に推進するため、いじめの防止等のための対策に関し、基本理念を定め、国及び地方公共団体等の責務を明らかにし、並びにいじめの防止等のための対策に関する基本的な方針の策定について定めるとともに、いじめの防止等のための対策の基本となる事項を定めるものであり、公布の日から起算して3月を経過した日から施行することとされております。

法文であるためなんとも冗長であるのは否めないのですが、それはさておき、「いじめの防止」が国から直々に各教育機関に通知されたことにより、さぞかし学校の教師たちの姿勢にも大きな変化があったことでしょう。

文部科学省による「いじめ」の定義は、これまで三度、更新されてきました。一九八六年では、「いじめ」とは、「自分より弱い者に対して一方的に、身体的・心理的な攻撃を継続的に加え、相手が深刻な苦痛を感じているもの」と定義されました。

二〇〇六年からの定義では、「当該児童生徒が、一定の人間関係のある者から、心理的、物理的な攻撃を受けたことにより、精神的な苦痛を感じているもの」となりました。認定を妨げていた「一方的に」「継続的に」「深刻な」といった文言が削除されたわけです。

さらに、最近の特徴は、インターネットを通じて行われることでしょう。これらは、教師や大人たちの目に留まらないいじめです。

ところで、わたしたちは頻繁に「いじめ」を耳にし、口にしますが、さて「いじめ」とはどのような意味でしょうか。

「いじめる」で辞書を引きますと、「弱い者を苦しめたり困らせたりする」とあります。しかし、問題となっている「いじめ」は、この「苦しめる・困らせる」というレベルを超えています。「いじめ防止対策推進法」では、「その心身の健全な成長及び人格の形成に重大な影響を与えるのみならず、その生命又は身体に重大な危険を生じさせるおそれがある」とまで言及されています。最悪のケースでは子どもを自殺させてしまうのが、いじめです。

具体的にはどのような行動か、考えてみましょう。

無視する。悪口を言う、あるいは書く。殴る。蹴る。しかし、これだけでは「いじめ」にはならないでしょう。いじめを考察する糸口は、どうやら行為とは別のところにありそうです。

大前提は、「いじめられている」側が苦しんでいることです。一対一のケンカでは、殴る蹴るや罵り合いがあっても、ケガをすることがあっても、「いじめ」にはなりません。

わたしにも、中学時代に殴り合いのケンカをする相手はいましたが、彼からはいじめられたという思いはまったくありません。

「いじめる」側は、はっきりと相手に「お前はいじめられている」ということを認めさせなければなりません。ですから、精神的な苦痛を、長期間継続的に、いじめられる側は受け続けることになってしまいます。

「いじめ」は、いじめられている子どもが「いじめ」と感じることから始まります。この起点を無視した解決はありません。そして、「いじめ」問題がここまで解決困難な理由には、この気持ちを子どもたちが隠してしまうことにあります。

わたしにも思い当たります。「親に心配をかけさせたくない」という心理が働いていたのです。「いじめられている」ことを、落第点をつけられたことのように考えてしまっていました。

ですから、いじめられている子どもたちが追い詰められる前に、いじめられることは、決して恥ずかしいことでも悪いことでもないからと、苦痛を伝えられるような環境作りが不可欠です。

「行為から心へ視点を変える」

さて、いじめ防止のために、国と各教育機関の対策が持続的に行われています。その基本には「いじめの防止等のための対策の基本理念、いじめの禁止、関係者の責務等を定めること」があるようです。

しかし、これが問題に取り組む基本的姿勢になってしまっていては、いつまでたっても埒が明かないのではないでしょうか。いじめ問題の解消のために、「いじめるな！」という禁止では、いじめは隠れたものになってしまうだけでしょう。「関係者の責務」が問われるようになれば、学校はますます、いじめを隠してしまうでしょう。

罰則によって取り締まることもできるでしょうが、罰則なるものはどんどん細分化していき、いずれ手に負えなくなるのがオチです。

必要なのは、問題の見方を変えてしまうことだと思います。

「いじめ」は、いじめに関わった人たちだけに発生した、特殊なものではありません。わたしたち誰の心にも起こりうることです。だから、行為ではなく心へと視点を移すのです。

こうすると、**問題の核心が、「いじめた」子どもたちの心にあることが認められる**のではないでしょうか。

「いじめられた」子どもたちのケアは、当然、最重要です。それと同時に、「いじめた」子どもたちの心への手当ても必要なのです。**彼らは、自分の不安と上手につき合えない子どもたち**なのです。

いじめの構図は、「多数」と「一人（あるいは少数）」で作られています。この一人（あるいは少数）は、多数派にとって自分たちの存在を脅かす異分子です。「脅かそうとなどしていない」といじめられる側は思うでしょう。しかし、多数派には、この無自覚すら脅威なのです。

「この中には一つだけ仲間外れがあります。どれでしょう?」

こんな問題が雛型になっています。空を飛べない動物が、飛べる動物を意識し、それを差別し、異分子として排除しようとする。そして「いじめ」が発生します。

違いを意識するだけではいじめ問題にはなりません。異分子を排除しなければならないという心理が、いじめへとつながるのです。異分子の存在は、所属するメンバーにとって耐えがたい不安になるのです。

「既存の権威である多数派は、異端の少数をいじめる」。これは歴史が証明しています。いじめという行為は恥ずべきものなのですが、これが世の中からなくなったことは、残念ながらありません。魔女裁判や異端審問や宗教弾圧、選民思想、人種差別や迫害など……。その際、「彼らを矯正するため」、あるいは「社会の秩序を守るため」など、さまざまな方便が用意されます。これらは、子どもたちよりもタチが悪いのです。

［誰もがいじめてしまうかもしれない］

「現代の特徴は、凡庸な精神が、自己の凡庸さを承知の上で、凡庸なるものの権利を主張し、あらゆる場所に押し付けようとすることである」

何度も引用している『大衆の反逆』でのオルテガの警鐘です。岩波文庫の佐々木孝先生の訳をお借りしました。

子どもたちにいじめ防止を訴える大人のほうが、凄惨な事実を歴史に残してきました。「いじめるな！」と子どもたちを指導する先生や親は、いったいどんな顔をしているのでしょう。大人たちの現場でも、いじめは腐るほど起こっているではないですか。

子どもたちは言葉ではなく、行動を見ています。そして心を受け取っています。「そんなあなたたちはどうですか？」とまじめに聞き返してきたら、わたしたちはなんと返事をすればよいのでしょう。

いじめを禁止し監視するような対策では、「いじめ防止」の的から外れてしまいます。まずは、誰もが「いじめてしまうかもしれない」ことを認めなければなりません。その上で、「いじめてしまいたい」「いじめてしまった」という気持ちの告白ができるような環境を子どもたちのために整えておくべきでしょう。

オルテガの言葉を借りて、いじめる人の不安を表現してみましょう。

「大衆に陥ってしまいそうな不安」「凡庸でありたくないという不安」、はたまた「自己の凡庸さに気づいてしまった不安」になるでしょうか。資本主義的には、**「評価されるものが何もない不安」「何も生産できない不安」**となります。

このような不安との戦いには、二つの選択肢があります。

自分自身を高めること。もう一つが周りを引きずり下ろすこと。

今や「マウントを取る」と表現されていますが、自分を切磋琢磨《せっさたくま》することなく、相手を辱めることでマウントを取ろうとする大人たち、これこそニーチェが問い質した人間の姿です。「いじめてしまう」のも、そんな哀れな姿の一つです。

【寛容であれ】

「いじめはダメ！」という禁止を柔らかくすると、「寛容になりなさい」になるでしょう。わたしたちも、娘には寛容な人間であってほしいと願います。コロナ禍が暴いたものは、不寛容になってしまったわたしたちの姿でした。自分と同じこと、多数派と同じことができない人たちを監視し、それが暴力につながることもありました。

これからの時代は、ますます「寛容さ」が求められるようになることと思います。

では、寛容とは、どういうことでしょうか？

「寛容であれとはすべてを容認することだろうか？」

これはフランスのバカロレア（大学入試資格試験）での哲学小論文の定番です。まるで手が出ない難問に見えてしまうかもしれませんが、「わたしたちの有限性」という視点から「寛容さ」を見てみましょう。

わたしたちに限界があるように、寛容にも限界があるのです。寛容とは、何よりもまず、わたしたち自身が抱えている有限性を許すことから始まります。それは同時に、他人が「わからない」ことを受け入れてしまうことなのです。

わたしたちは本来、非力であって、間違いを犯しやすい存在です。完璧からは程遠く、不運、挫折、苦しみのほうが「自分」の中身となっていることにきっと気づいていることでしょう。

不器用で要領の悪いわたしがよい例です。かつて、後輩と仕事をしながら感覚的なズレを感じていました。「どうしたの？」と聞くと、「どのようにしていいか教わっていません」とか「手本を見せてください」とやる気のない声で言ってきます。当時のわたしには、彼の「わからない」が疎ましかったことが思い出されます。

そんな彼自身も、「わからない」に背を向けていたのです。「失敗だけはしないようにしよう」、そんな意識だったのでしょう。

わたしたちは、わたしたち自身にふさわしく、「わからない」に遭遇します。そんなときは、「わからない」をすっきりと受け入れてしまうことが「寛容」の始まりです。そして、**「わからない」こそ、わたしたちの能力や限界を見極めさせ、失敗も成功もさせながら多くを学ばせ、成長させていく**のです。

それを、有限で不完全な理解の枠組みに嵌《は》め込もうとするから、無気力になってしまうのです。不寛容にもなってしまうのです。

壁にぶつかりなかなか進めない、思うように解決できずどうにもならない。**そんなときは休んでもいいし、一歩下がってもいい**でしょう。**自分の足で、自分のペースで歩いていけばいい**のです。

誰かの足やペースではなく、不完全そのままの自分の足で歩ける人は、自分にも他人にも寛容でいられるでしょう。

仏教もかつては、仏教弾圧運動である廃仏毀釈《はいぶつきしゃく》を経験しています。中国・唐の時代、西暦七五五年に、安史の乱という動乱が起こりました。さらに、八四五年に、「会昌《かいしょう》の廃仏」という仏教弾圧運動が起こりました。その事件で、二十六万人近くの僧侶が還俗《げんぞく》したと言われています。寺院は焼かれ、本尊も焼かれ、僧侶が着るものも焼かれ、経本も焼かれ、僧侶たちは山や林に逃げ込みました。寛容を旨とする仏教が、不寛容の対象になってしまったのです。山や林に逃げた僧侶たちは、寺や本尊も経本も焼かれてしまい、何も持っていませんでした。そこで彼らは、自分の身体ひとつでできる坐禅をし、自分の心の中に仏を持とうとしました。

「寛容であれとはすべてを容認することだろうか?」。この答えを、彼らは己の身で実践したのです。彼らは弾圧を許したのではありません。問題を、「人間存在の不完全さ」へと昇華したのです。

このように考え方の転換をしてみましょう。差別やいじめを生んでしまう己の心とのつき合い方が変わるのではないでしょうか。

般若系経典の一つである『金剛経《こんごうきょう》』という経典の中に、「応無所住而生其心《おうむしょじゅうにしょうごしん》」という言葉があります。「無念無心の自由なはたらき」を意味します。

わからない人をいじめず、むしろわからない人と共に過ごせる心がわたしたちには備わっています。自分の有限性を認め、他者の限界も認める心を開いてしまいましょう。こうして寛容の輪が広がっていけばいいですね。

誰もが備える「仏の心」は、美しいものです。それはある意味、人知を超えた美しさと言えるでしょう。世界中で注目される数々の名画。これは天才たちだからこそなしえた創造です。しかし、わたしたちの身の回りには、それらを超えた美しさが溢れています。それは「崇高さ」とも言い換えられるでしょう。

雪化粧した富士山の姿。春でしたら桜満開の山、夏でしたら豪快な海の光景、秋でしたら山の紅葉。

自然環境だけではなく、わたしたちの生活にも「美」はたくさんあります。時代に関係なく、国境もなく、言語も関係がありません。美とは芸術よりも広く深いものだと気づかされます。

そして、本来そのような美しさを、わたしたちの誰もが持っているのです。自信を持ちましょう。この自信が寛容の土台となります。

最後に、十八世紀フランスを代表する啓蒙家、ヴォルテールの温かい愛の鞭で締めくくりましょう。

寛容とは何か。それは人類に固有のものである。われわれの誰もが、さまざまな弱さと過ちで作られている。だから、お互いの愚かさを許し合おう。それが自然の第一の掟である。

(« Traité sur la tolérance »)

先入観

Les préjugés

わたしたちは、これまでの生育史の中で、さまざまな先入観を刷り込まれてきています。

先入観とは、いわば「思考のパターン」です。

「思考のパターン」にこだわればこだわるほど、不安は大きくなります。

そして可能性は小さくなっていきます。

［先入観？　潜入観？］

予備校で講師をしていたときに、大切なことに気づきました。なんと、自分が子どもたちに教えることよりも、子どもたちから教わることのほうが多いのです。「先入観」もその一つでした。

小学生の漢字テストでした。その男の子は、「せんにゅうかん」を「潜入観」と書いたのです。答え合わせとしては「不正解」ですが、わたしの赤ペンは、はたと止まってしまいました。「あれ？　もしかしたらそんな表記もあるかな？」と辞書を調べてみたのですが、載っているのは「先入観」のみ。しかしわたしは、この表記を選んだ彼の意図がよくわかったのです。

「先入観」は思い込みとも言います。あるいは色眼鏡とも。まぁ眼鏡であれば、自分の意志でかけたり外したりできるでしょう。色付きだろうがそうでなかろうが、ディスプレーに並んでいるものから自分でちゃんと選んで購入し、身に着けるでしょう。

しかし、「先入観」は違います。物品として「先入観」がズラリと並ぶことなど、ありません。形にすらなっていません。

最大のトリックは、「先入観」は無自覚であることです。

「わたしは車を持っています」とはっきり言い切ることはできます。「車を持っていません」も同様。なぜなら、誰の目にもはっきり「車」が認められるから。ないのに「持っている」と言うのは、嘘つきですから。

しかし、「先入観を持っているかいないか」は、誰の目にも見えません。他人どころか、自分にも見えません。つまり、「潜入」しているのです。

だから彼は「潜入観」と書いたのかもしれません。

わたしは彼から、「先入観」の別の側面を教えられました。辞書的には「ある事柄に対して、以前から持っている思い込み」ですが、「せんにゅうかん」とは、「ある事柄に対して、以前から『無自覚』に持っている思い込み」なのです。

いやはや、子どもたちのセンスは、わたしたち大人の思考パターンを暴いてくれます。「先入観」をただのマルバツで終えていたら、こんな面白い発見もできませんでした。

先生や親など、大人が教えることはテキストに載っている「正しい情報」です。しかし、大人たちが子どもから教わることは、どこにも載っていません。したがって、わたしたち大人のほうに「教わる」という自覚があってはじめて、成り立つものです。

もちろん、子どもたちにも「教える」なんて意識はありません。

「正解を教える」ことしかできない大人には、自分の「思考パターン」に気づかされることもないでしょう。繰り返しますが、それには無自覚だからです。

子どもたちには「決まった思考パターン」はありません。しばしば常識を逸脱してきます。しかし、テストでは正解不正解が問われます。だとすると、「バツ」の答えのほうにこそ、わたしたちが教わることが多いと言えます。

この「思考パターン」を脅かす人や思考に出会うことを、わたしたち大人は嫌がります。なぜなら、これまで自分を守ってきてくれた「思考パターン」がひっくり返ってしまうからです。そのパターンへの依存度が高ければ高いほど、転覆はひどくなる。もはや起き上がれないくらいの大事故になりかねません。だから不安になってしまうのです。

たしかに、「思考のパターン」にも意味はあります。いちいち、立ち止まって「なぜそうなのか？」を考え直すことができない事情もあります。パターン化して処理してしまったほうがいい場面や事象もたくさんあるでしょう。

とはいえ、この**「決まった思考パターン」が「潜入」と表現されるような刷り込みである**ことを、自覚しなければなりません。

不安と上手につき合うには、「無自覚を自覚する」ことが大切です。

無自覚のパターンを決定するのは、「これまでの正しさ」です。

しかし、これまで通用してきたパターンは、決して「正しいパターン」ではありません。これからも通用するとは誰も保証してくれません。ただ、これまではパターンの内で、たまたまうまくいっただけであって、「正しい」ものではありません。もちろん、「間違い」なんてものもありません。

たとえば、「教育システム」。日本では定番の学校教育を受けていない子どもたちは、「落ちこぼれ」でしょうか？ ＡＩが教育現場にもどんどん入ってきます。「これまでの教育システムが変わらず続くだろう」、と信じているウブな先生は、まずいないでしょう。

あるいは、「結婚の型」。シングルマザーを選ぶ女性が増えています。彼女たちと子どもたちを守るためには、これまでどおりの対策は通用しないでしょう。

あるいはまた、「仕事の型」。これからの時代に、これまでと同じ仕事の型が通用するなんて、信じていない人のほうが多いのではないでしょうか。二拠点での仕事、仮想空間の活用など、今はまだ「変わってるねぇ」と思われる人ややり方が、これからの常識になってくるのです。

「自分らしく」という、メディアにさんざん登場するキャッチコピーも先入観かもしれません。そもそも、「自分」を把握することなど、困難極まりないことです。老いの域になってようやく見えてくるかもしれないもの。青少年には及びもつかないことです。それなのに、「自分らしく」を先行させてしまう。それは、学びの機会を自ら狭めてしまうことですし、自分の選択肢を進んで減らしてしまうものです。

さらに、**「自分らしくあるかどうか」が問われ始めて、「自分らしくない」ことに不安になってしまいます。**

むしろ、**敢えて、自分が想定する「自分」とはかけ離れていることに触れてみましょう。自分らしくないことに挑んでみましょう。**

そうすれば、いずれ「自分」なるものが見えてくるかもしれません。自分自身で作り上げた「自分」なんて、たいてい、どこからかインストールされたまがい物なのです。

これは、ニーチェが見抜いています。ちくま学芸文庫の『悦ばしき知識』(信太正三 訳)から引用しましょう。

我々は、否定するし、否定せずにはいられない。それは、我々の内なる何かが、我々の未だ知らない、未だ見ない何ものかが、生きようとしているからだ。その何ものかが自らを肯定しようと欲しているからだ。

「先入観」に気づくことは、自分の可能性を広げることです。これをニーチェは「未だ見ない内なる自分が生きようとしている」と表現しました。

「思考のパターン」にこだわればこだわるほど、不安は大きくなります。そして可能性は小さくなっていきます。わたしたちには、「わからない」「見えない」ことのほうが多いはずです。

そして、わたしたちに、無自覚に刷り込まれる**先入観に気づかせてくれるのは、正解よりも「バツ」**のほうなのです。**常識人より「変人」**のほうなのです。

［アイデンティティが生む不安］

ところで、あなたにはゲイやレズビアンの友達はいますか？　国籍の違う友達はどうでしょう？　あるいはシングルマザーの知り合いは？

わたしは以前、フランス人の知り合いに「告白」されたことがあります。それも二人の友人から。彼らはゲイでした。残念ながら、わたしには彼らの告白を受け入れることはできませんでしたが、その後も交流は続きました。

もし自分がゲイだったら、もしかしたら、おつき合いしていたかもしれません。彼らはなぜか、どちらもノルマンディー出身でした。わたしよりも大柄でインテリ系。薄い髪の毛や目鼻立ちなど、あちらの方特有の「かっこよい」男たちでした。

さて、この体験が「先入観は頑固で無自覚であること」を知るきっかけとなりました。数年後、知り合いの男性にこのことを話したところ、その彼の最初のリアクションが、「変なことされなかった?」でした。

「え? 変って何?」、これがわたしの正直な気持ちでしたが、このことについて彼と話を続けることはできないと判断し、別の話題へと方向転換したと記憶しています。

わたしが彼に持っていた印象は、誠実で穏やか。人種差別に苦しむ人々を憐れみ、この問題に挑んだ偉人たちを挑戦者として信奉する人でした。そんな彼でしたから、わたしにとっては「まさか!」の反応でした。

おそらく、その知り合いの男性には「男は男らしく」という先入観があったのでしょう。しかし、わたしには、彼らが男だろうがゲイだろうが、どちらでもよかったのです。彼らの人間味はとても深く濃く、またお互いの教養や文化を交流させることがとても愉快でした。彼らがゲイであるがゆえに至った知見や感性などは、わたしには「手が出ない」ことであったので、むしろ羨ましかったほどです。諸々《もろもろ》の事情ですでに交際は途絶えていますが、言い尽くせない感謝をしています。

さて、もし自分が同性愛者だったら？　ちょっと想像してみましょう。どんなことに不安を感じるでしょうか？

日本人のゲイの友人たちに話を聞きました。「自分がゲイであることを親に話すべきか？」、これが仲間に共通する最大の悩みなのだそうです。

「ＬＧＢＴ」は多くの人に知られるようになりました。「レズビアン・ゲイ・バイセクシャル・トランスジェンダー」の英語頭文字がＬＧＢＴ。最近では、さらにＱ（クエスチョニング）を加えて、ＬＧＢＴＱとも言います。以前と比べて、かなり認知され、受容されているように見受けられますが、それでも「職場に同性愛者や両性愛者がいることに抵抗を感じるか？」という質問には、三分の一が「はい」と答えるそうです。子どもたちの世界で、「オカマっぽい」は、見過ごせない悪口になるでしょう。

親にも、この先入観が潜んでいるかもしれません。ゲイとかレズとか関係なく、「あなたはあなたよ」と言われるかもしれないけれども、そんな親にとっても、やはり世間の目は気になるはずです。わたしの親なら、きっと「そうなのね」で終わったでしょう。母も父も、「変わり者」だからです。しかし、世間ではそうはいかないのです。

わたしは自分自身の体験から、ＬＧＢＴＱが抱える問題を知ることになりました。世間の常識は、どれほど「決まったパターン」に閉じ込められているかも思い知らされました。むしろ、わたしたち人間は、型にハマるのが大好きなのかもしれないと感じています。

型の一つにアイデンティティがあります。では、アイデンティティとは何でしょう？

ＩＤカードという呼称があるように、まずは「身分証明書」を思い出します。日本では、「名刺」が重んじられますね。

ＩＤカードや名刺などを提示されると、どうしてもそこに「記されていること」に目が行きます。「書かれていることを見ないことは失礼！」なんて気分にもなります。

でも、自分という一人の人間については、そんなものに「記されないことのほうが多い」はずです。性別も身長も国籍も、勤め先も出身校も、わたしたちが「なんであるか」のごくごく、一部であるはずです。

しかし、なぜわたしたちはこれほどアイデンティティにこだわってしまうのでしょうか。これもやはり、パターンにはまったほうが、面倒がなくて楽だからでしょう。

ソーシャル・メディアにおける数々の不安は、アイデンティティに関わるものです。一部の媒体を除き、SNSでは匿名が許されます。

本来、匿名とは自分を偽ることではありません。匿名であることは、匿名での寄付など、慎み深さの最大の表現方法であるはずです。ところが、ソーシャル・メディアでの匿名性は、むしろこれとは真逆の様相を表しています。

リアルにおけるアイデンティティへの不満や欠乏感が不安を生み、それらがSNSでの攻撃や暴力へと転化してしまっているのです。

こうして、パターンから自由になれるはずの匿名が、強力なパターンを生む原因になってしまいました。

『なぜ世界は存在しないのか』で注目された、今最も世界で注目される哲学者の一人であるマルクス・ガブリエルは、『2035年の世界地図』（朝日新書）で、「社会的アイデンティティなど放棄すべき」とまで断言しています。

いつわたしたちがアイデンティティから解放されるか。それはまだまだ先のことでしょう。しかし、アイデンティティが代表する「定型」に気づかされる機会を積極的に持つことは、今のわたしたちにもできるはずです。

「定型から外れてもいいんだ」という柔らかい考え方は、不安とのつき合い方の決め手になるでしょう。

［変でいい］

ところで、不思議なことに「変人」はアイデンティティになりません。「型にはまらない」のが変人なのですから、当然と言えば当然です。だから「わたしは変人です」という人は信頼できません。「変人」という型を想定しているのですから。子どもは型破りですが、それは大人たちの「型」を破るからであって、子どもたち自身が「自分は変だ」とは思っていません。

世間的には「変じゃない」人たちが多数派でしょうし、彼らは常識を代表しています。しかし、これからは「個性」の時代です。そして、これほどまでに「個性」が叫ばれる時代はありませんでした。

「個性」とは、たいてい「変」じゃないですか？　平均に埋没しないから、個性になるのです。「個性的よね」なんて言われる人は、まぁ変わっている人と思っていいでしょう。**常識という立場にこだわってしまうと、そこから出ることが不安になってしまいます。**この不安は、むしろ「個性」なるものを奪ってしまうことにもなりかねません。

第1章で紹介した龍澤寺の中川宋淵老師と女の子との小石のエピソードには、「個性」が迸《ほとばし》り出ています。布施というものを、お金や供物など、生活に役立つものを施すことと理解しているかもしれません。そして、常識的には、布施はそのようなものでしょう。だから、女の子が足元の小石を老師に渡した行為は、一見非常識です。

しかし中川老師は、「小石は小石だが、それをあのお子さんがくれたとき、私が手を合わせ、向こうももみじのような手を合わせてやりとりをした小石ならば、小石でもただの小石ではないんだよ」とおっしゃいました。

では、わたしたち大人でも、この少女のように、托鉢の僧たちに小石を渡すことはできるでしょうか？　やはり、「非常識だ」、「恥ずかしい」、「大人なら大人らしくしなければならない」とためらってしまうでしょう。しかし、本来、少女のような心さえあれば、小石だろうが木の実だろうが、布施になります。むしろ**「変じゃない」ようにすることで、わたしたちは自分自身の自由な心を縛ってしまう**のです。

それにしても、少女と老師のエピソードでは、「変」が見事に融合しています。とは言え、ここまで破格のレベルでなくても、家族という舞台では、意外にも「変」が受け入れられているのではないでしょうか。

わたしたちには娘がいますが、彼女たちは大人では想像できないようなものをプレゼントしてくれます。しばしば絵が贈られるのですが、これがまぁ輪郭などないような、雑で豪快で、堂々とした絵なのです。実に「変」な絵なのです。

さて、あなたの自宅に絵画を飾るスペースがあるとしましょう。著名な画家の高価な絵か、子どもから贈られた変な絵か、どちらを選びますか？

今、わたしたちのプライベートな場所は娘たちの絵で包まれています。

「常識人でいたい！」気持ちもよくわかります。そこに居続けることは楽ですから。そんな気持ちも認めましょう。でも、そこに「思考のパターン」が潜んでいることも、認めましょう。

パターンから進んで外れることはできなくても、せめて、「変な考え」との出会いを避けないようにしてみませんか？　あるいは、「変だな」と感じる感覚を開放してみましょう。

もしかしたら、「あなたって変わった人ね」と言われるようになるかもしれません。

そんな評価こそウェルカム！　思考のパターンから解かれた証です。

コストパフォーマンス

L'analyse coût-efficacité

有用無用という判断基準は、わたしたちを不安から解放するどころか、
不安に絡め取ってしまうものです。コスパへの忖度《そんたく》はほどほどにして
「無用」に見える道草を、どんどんしていきましょう。
道草をすることは不安かもしれません。
しかし、不安にあまりある感動と出会いが、道草にはあります。

【最短最速最大】

もともと「費用対効果」として経営指標の一つであった「コストパフォーマンス」という言葉が、「コスパ」という略語となって、若い人たちの間を中心に、日常語にまで浸透してきたのは、いつごろからでしょうか?

いまやデートはもちろん、結婚も子育ても「コスパが悪い」を口実に避ける人たちもいるそうです。本心かどうかはともかくとして。

そうした風潮を受けてか、「成功の秘訣」伝授を謳う本やユーチューブなどのメッセージを見てみると、形は違えど、目指すところはだいたい似たり寄ったり。「誰よりも早く、効率的に、できるだけ目立つ結果を出す!」です。

まさに「コスパ」崇拝者たち。彼らは、「早く、速く!」「秒速で!」などと煽ってきます。あまつさえ「爆速」なんてバカバカしい言葉が生まれるほどです。「積極的に立ち止まり、ゆっくり楽しんでいこう」というメッセージが、教師やコンサルタントの口から出ることは稀です。専門家自身が、「最短最速最大」の道を歩いているのですから、それを疑うことがないのでしょう。

「コストパフォーマンスのよい人生」なんて、それだけ聞くと噴飯ものです。そうはいっても、わたしたちは積極的に、効率も悪く、生産性もなさそうな道を選ぶことができるでしょうか。

資本主義の題目である「最短最速最大」、これに麻痺してしまった現代人を憂いた哲学者はあまたいます。その一人であるバタイユは、『有用性の限界』で、アメリカ合衆国の政治家ベンジャミン・フランクリンの発言を引用しています。この発言は、まさに「最短最速最大」の象徴となっているのです。

時は金なりということを忘れてはならない。一日に十シリング稼げるはずなのに、部屋でのらくらと半日を過ごす者は、たとえ自分の楽しみには六ペンスしか費やさなかったとしても、そのほかに五シリングを浪費した、というよりも水中に投げ捨てたのだということを考えるべきである。

金には繁殖力と多産力があることを忘れてはならない。金は金を生む。子が子を生み、さらにその子が子を生むというように、続くのである。五シリングが六シリングになり、さらに七シリング三ペンスになり、ついには一ポンドになる。金は多ければ多いほど増えるし、利益はますます早く増大する。

一頭の牝豚を殺す者は、数千頭の子豚たちを殺すのである。五シリング硬貨を殺す者は、そこから生まれたはずのすべての硬貨を殺戮《さつりく》することになる。(« La limite de l'utile »)

これは「牝豚の比喩」として言い習わされています。現代の日本の政治家がこんな発言をしようものなら、確実に大炎上するでしょう。

しかし、これに対して揃って口撃するわたしたち自身はどうでしょうか?

「既存の主流」に屈して、期せずしてフランクリンの牝豚になってしまっているのではないでしょうか？

この発言を受けて、バタイユは資本主義に隠された内実を暴きます。

生産活動の発展は、既存の需要に応じたものでしかない。生産量が増大するとともに、需要の平均に応じたものとなる。資本主義は平均すると、生活水準の改善を目的としているようにみえるが、これはみせかけに過ぎない。

現代の工業生産は、階級の不平等を緩和することなく、結局のところは社会の病に任せながら、中間的な水準を高めているだけなのである。

（« La limite de l'utile »）

「コストパフォーマンス」は、わたしたちの心身の健康や、不安の改善を助けるものではありません。むしろ、不安をもたらすものです。

コストパフォーマンスには楽しさや充実感は無用です。あるに越したことはないのですが、効率や評価を捨てて、楽しい道草を優先してしまう人は、変人とよばれるでしょう。

「自分がモノになってしまうのではないか？」

「生産できない人は無価値」「役に立たない人は無用」。

「コストパフォーマンス」的発想の行き着く先がこのような考え方です。実際、LGBTの人たちをして「生産性のない人たち」と発言して炎上した女性政治家もいました。

そうした考え方が主流となると、それは個々人に大きなプレッシャーとなり、さらには、長く社会問題となってきた、より本質的な不安を生み出します。

「自分がモノになってしまうのではないか？」という不安です。

モノには価値や値段がつきます。常に数字によって計量されます。ではわたしたち人間はどうでしょうか？

二十世紀を代表する社会学者ジャン・ボードリヤールは『消費社会の神話と構造』で、モノによる「幸福」の幻想を暴きました。

幸福は計量可能なものでなければならない。幸福は、モノと記号によって計量できる物資的安楽でなければならない。

(La société de consommation »)

モノは「幸福」という幻を見せてくれます。なぜなら、モノは計量可能だからです。計量可能ということは、誰にでも到達できる可能性がある、ということです。目的地から何千キロも離れていても、走り続ければ到達できます。都度、数字は目的地までの距離を教えてくれるでしょう。こうして、モノたちは、いますぐでなくても、いつかたどり着けるという幻想を抱かせるのです。

しかし、モノである限り決して「幸福」には到達しません。鼻先に吊るされたエサのようなものです。わたしたちは、馬車馬のようにただ命を浪費させられてしまうのです。

しかし、もし、「自分がモノになっているのでは？」という不安が自分にも思い当たるのであれば、チャンス到来です。

この**不安は、いつの間にか自分が「コストパフォーマンス」に縛られていたことを教えてくれている**のです。

この不安を素直に認めてしまうことです。そして、うまく不安を人生に活かすために、自主的に、コスパ崇拝から離脱してみることです。

つまり、**「最短最速最大」とは違う選択肢を、敢えて選んでみることです。**

【無用が大事】

岐路に立ったとき、これまでは世間的な価値を目安にしていたかもしれません。でもこれからは、自分の関心を頼りにしてみましょう。

たとえ一般的には、「無用」「無価値」とされていることでも、自分の感覚がそちらに向いていたとしたら？　そのときこそ、延々と生産させられる牲豚から人間に戻るターニングポイントなのです。

新入社員でたとえてみましょう。誰もが、入社したては何も知りません。道具の名前も、機械の名前も知りません。仕事のハウツーも知りません。それらは、たしかに身につけなければならないこと。有用とされることですね。一つ一つ有用なことを覚えて、ようやく周りから一人前と認められるでしょう。

しかし、有用なものだけ身につけて「自分は一人前だ」と自足してしまうと、それ以上は成長できなくなってしまいます。**人間の成長は、有用を外れたところから始まる**のです。

わたしは要領のいい人間ではなく、どちらかというと、記憶力も悪く不器用で回り道をしてきました。長男として育ったため、はじめて行うことにすべて失敗し、怒られました。その様を見ていた弟は、効率よく物事をクリアーしていきました。

わたしには、成功よりも失敗の経験のほうが数倍あります。幼少期には、ピアノやバイオリン、体操教室、剣道や野球。さらに大学では、東洋史を志し、大学院ではインド哲学を専攻しましたが、すべて挫折してしまいました。

しかし、いまでは幼少の頃の習い事のおかげで、クラシック音楽をたしなむことができ、さらに、漢文やサンスクリット語の簡単な文献を読むことができます。それらは、挫折という経験の中でできるようになったことです。そして、東洋史で学んだことやインド哲学科で学んだことが、実際の住職の仕事の中で生きている実感があります。

誰もが、できれば失敗は避けたいと思うでしょう。それは頷けます。しかし、**「失敗や挫折には意味がないのか？」と言われましたら、そうではないとお答えします。**

わたしが　わたしに　なるために
じんせいの　しっぱいも　ひつようでした
むだな　くろうも　ほねおりも
みんな　とおとい　けいけんでした

わたしが　わたしになれた　いま
すべて　あなたの　おかげです
おんじんたちに　掌《て》をあわせ
ありがとう　ございましたと　ひとりごと

をさはるみさんの詩、「独り言」を紹介しました。

この詩に描かれているとおり、**身の回りに起こることはすべて学びになります。**

「学びになる」ということは、後から意味が出てくることです。

ですから、あらかじめ無用とされるものは一つもありません。むしろ、**回り道や失敗など、忌避されることのほうから、大切な気づきが生まれる**はずです。

僧侶であるわたしは、「縁」を実感することが多々あります。縁が働くのは、人間だけではありません。物や事、すべての出会いそのものがまさに、縁によって形成される場なのです。そして人生とは、この実践の場なのです。

花一輪でも、有用な花、賞賛される花ばかりを選ばないことです。なぜなら、縁は「花によってわたしが生かされている」ことを教えてくれるからです。

もし有用無用で花を選べば、自分もまた有用無用によって選別されてしまうでしょう。

価値があろうがなかろうが、縁において「無用」と予断されるものは一つもありません。

有用無用という判断基準は、わたしたちを不安から解放するどころか、不安に絡め取ってしまうものです。

有用無用を、制服でたとえてみましょう。

わたしは法衣を着ます。法衣を着ていたら僧侶と見られますが、では法衣を脱いだらどうなるでしょうか。制服を着ている警察官は、それと見られます。しかし、制服を脱いだ警察官を、わたしたちはどのように見るでしょうか。制服で人を判断する人は、人そのものを見られなくなってしまうでしょう。

あるいは、有用無用は名刺からもうかがえます。その名刺に書かれている肩書きは、わたしたちの目を狂わせます。「僧侶」「警察官」としてでしか、人とつき合えなくなってしまいます。それは**有用無用というフィルターで取捨選択してしまうことです。それによって、大切な縁を失ってしまうかもしれません。**

「毎日が好い日」という禅語があります。映画でも有名になった「日日是好日」ですね。ただなんとなく日を過ごすことではなくて、「どんな毎日も新しく好い日だ」という積極的な気づきのことです。

「雨は何もできないから嫌だ」という方もいらっしゃいます。しかし、雨の日は雨の日で、さまざまな使い道があります。仕事でなくてもいいじゃないですか。家の中のこともでき、読書もでき、庭の木々も潤います。

天気は、晴れがいいとか曇りがいいとか雨がいいとか関係なく、有用や無用にはお構いなしです。

十二年前、四十歳のときに、わたしは一年間に家族三人のお葬式を出しました。はじめは、祖母が亡くなり、その後一ヶ月も経たないうちに、祖父が亡くなりました。祖父の一周忌の前に父が亡くなり、寂しい日々を母と二人で過ごしていました。どうすることもできない日々が続きました。朝にお経を読み、昼には境内の掃除をする。そんな日々が繰り返されました。

しかし、そんな龍源寺での生活の中で、『法華経』という経典の中の「常懐悲感、心遂醒悟」という言葉が、不意に大きな意味を持って湧き上がってきたのです。

悲しい感情を心の中で大切にしていると、その悲しさが人間において大切なこと、かけがえのないことを教えてくれるのだ。

どうにも涙が出続けてしまう日々もあるでしょう。仕事ができなくなるほど苦しむこともあるでしょう。

その不安は、そのまま受け止めましょう。

何もできなかった日々も、決して無為にはなりません。

悲嘆と苦悩の日々を経てようやく、有用無用の分別などなくなってしまうのです。

こうしてはじめて、「日日是好日」が身に沁みるのです。

不安や悲しみも、決して無用なものではありません。

わたしが「わたし」になるために欠かせないものなのです。あらかじめ設《しつら》えられた有用性は、制服や名刺のように、「わたし」を隠してしまうものなのです。

［道草のすすめ］

製図どおりに動かされることだったら、それはモノでもできます。自らの意思で選び、自らの意思で動き続けているようで、実は、動かされている。「コスパ」に縛られ、「最短最速最大」と書かれた気合い棒に尻を叩かれながら、休むことなく動かされ続けているモノなのです。

この事実に感づいてしまった人は大変です。不登校になってしまったり、会社を辞めて自分探しの旅に出たり。しかし、これからの時代は、このような感覚こそ貴重になってくるはずです。

そんな時代が近づいています。「最短最速最大」のルールは、もはやお呼びではなくなるでしょう。これからは、「無用」「有用」を、逆手にとってしまいましょう。**「最短でない道・速さを競わない道・量は問題外の道」**があるなら、そちらにも進んでみればよいのです。それが道草。有用であるのはモノだけで十分です。**わたしたちは無用を用にすることができるから、人間なのです。**人間には道草が許されているのです。

『有用性の限界』で、バタイユは忠告しています。

人間が有用性の原則の前に屈するようになると、人間は結局貧しくなる。獲得する必要性、この貪婪《どんらん》さが人間の目的になる。憂鬱さと灰色の日々が目の前に広がる。人間には絶滅の力が与えられたのである。

（« La limite de l'utile »）

古典は、お薦めする道草の一つです。「稽古」という言葉があります。この言葉は『古事記』の序文の一節に登場します。

古《いにしえ》を稽《かんが》へて以て風猷《ふうゆう》をすでに廃れたるに縄《ただ》し、今に照らして以て典教《てんきょう》を絶えんとするに補わずということ莫《な》し。

柔道や剣道など武道をする人は稽古をしますし、茶道や華道をする方は、お稽古事といいます。稽古には練習という意味が強いようですが、「稽」の元の意味は「考える」です。そして「古」は「いにしえ、昔」の意味。

ですから、昔のことをいろいろ考えていくということです。古いものは無用と捨ててしまわずに、古いものを現代の価値観に合わせて再生することが大切です。これを「稽古《けいこ》照今《しょうこん》」と言います。

相国寺派の有馬頼底《らいてい》老師はこれを、「古代のことを考えて、風教・道徳のすたれている点を正し、現在の姿を顧みて守るべき教えが絶えようとするところを補わなければならない」と訳されています。

コストパフォーマンスという縛りを解くのは、わたしたち自身です。この縛りを解いて、さまざまな角度で物事を見てみましょう。すると、「こんないいところがあったのか」と気づくことが多いはずです。

わたしたちの未来は、今まさに、わたしたちに賭けられています。
でも、すべきことは難しくはありません。
閉じ込めてきた関心を解放しましょう。
そして「無用」に見える道草を、どんどんしていきましょう。
コスパへの忖度は、ほどほどでやめておきましょう。

道草をすることは不安かもしれません。
しかし、**不安にあまりある感動と出会いが、道草にはあります。**

第3章

不安と上手につき合う六つの「習慣」

立ち止まろう

看脚下

立ち止まることで、「自分がどこにいるか」を確認できます。
そして、不安に翻弄されないようになれるでしょう。
突っ走っていては見落としてしまうほどに小さい。それがしあわせです。

「列車を押さない」

こんな状況に陥ったことはありませんか？

電車がなんらかの影響でストップしてしまった！　次の予定が迫っていて、一刻の遅れも許されないというのに。

「原因はなんだよ！　損害がでたら誰が弁償するんだよ！　早く電車を動かせよ！」

口には出さずとも、怒り心頭のはずです。


重要な仕事のために、私はしかるべきところにできるだけ早く行かねばならないのだ。私は一分一秒を、車輪の回転を数えているのだ。私は頭の中で、自分の荷物を押しているのだ。列車を押しているのだ。時間を押しているのだ。

（« Propos sur le bonheur »）

ここまで来ると、ちょっと滑稽です。気持ちはわかりますが、「列車を押す。時間を押す」のは、さすがに無理でしょう。

でも、これは、十九世紀末から二十世紀前半にかけて人気を博していたフランスの哲学者アラン流の揶揄《やゆ》であり警告なのです。

『幸福論』で有名なアラン。他にも『幸福論』はたくさんあるのに、なぜアランなのか？

もちろん、それなりの理由があります。

彼のメッセージは、人間離れした気力を要するものでも、信者だけに密かに伝えられるようなものでもありません。**彼にとっては、しあわせであることが自然なのです。**

ところが、わたしたち人間は、特に現代人は、進んで、不自然なまでに、不安を混乱させてしまっている。アランは、この状態から本来のわたしたちの姿へ回帰させようと促します。だからアランの『幸福論』は、他のどの『幸福論』より、煩わしさも説教臭さもない、健やかな教本なのです。

「先入観や常識や通念など、自分自身で縛った縄に気づきましょう」そう説くこの本は、不安と上手につき合う奥義の本でもあります。

さて、「列車を押しているのだ。時間を押しているのだ」と青筋を立てる人を、アランは諭します。

列車など押さないほうがいい。君の力を借りなくても列車は動くから。宇宙全体を一瞬から一瞬へと動かしている荘厳かつ泰然自若《たいぜんじじゃく》の時間など、押さないほうがいい。ものごとにしてみれば、君を乗せて運ぶことなど瞬き一つと同じなのだ。自分に親切であることを学ばなければならない。

（« Propos sur le bonheur »）

でも、至極真っ当なアドバイスとはいえ、なかなかこのようなおおらかな考え方を身に染み込ませるのは難しいものです。被害と形容されるような停止にはイライラしてしまうのが、わたしたちです。

しかし、そんなわたしたちにもできることはあります。**自発的に立ち止まってしまえばいいのです。**文章における句読点のようなものでしょう。

句読点のない文ほど読み辛いものはありませんね。でも実は、わたしたちは進んでそのような生き方をしてしまっています。息継ぎのできないまま泳がされているとも喩えられるでしょう。

［悲しみの中にパンを食べる］

だから、まず、立ち止まってみましょう。

立ち止まることは、深呼吸をすることです。そして、自分自身の在りようを反省するタイミングを作ることでもあります。

「立ち止まったら脱落してしまう」なんて強迫観念は、不安にさらに不安を重ねるだけ。脱落などしようがしまいが、「ものごとにしてみれば、君を乗せて運ぶことなど瞬き一つ」なのです。**大事なのは「自分に親しむ」こと。敢えて立ち止まる機会を作ってしまいましょう。**

坐禅会に参加することも、立ち止まるための一つの方法です。瞑想やヨガのブームも「立ち止まる」を牽引しています。サーフィンやキャンプも、「立ち止まる」の一つでしょう。大勢で賑やかに時間を忘れて過ごすのではなく、仲間がいても、まるで自分一人であるかのような環境に身を置きましょう。

そして、**気持ちの揺れ動きに身を任せます。** 悲しみが湧いてきても、戸惑う必要はありません。忙しすぎて、悲しんだり笑ったりする暇もない、なんて悲話にもなりません。「くよくよするな！ 泣いている暇があったら先に進め！」なんて打擲《ちょうちゃく》されたことがあるかもしれませんが、**泣くことを中途半端にしてまで急ぐ理由って、どんなものでしょう？**

ゲーテ著『ヴィルヘルム・マイスターの修業時代』に収載された詩があります。ドラマや映画などで、しばしばこの詩へのオマージュが見られます。かの鈴木大拙先生の翻訳を紹介しましょう。

悲しみの中にそのパンを食したることなき人は、
真夜中を泣きつつ過ごし、
早く朝になれと待ちわびたることなき人は、
ああ汝天界の神々よ、此の人は未だ汝を知らざるなり。

悲しみはわたしたちを成長させます。

涙をほかの誰かに代わって流してもらうことはできません。泣き続けて一夜を過ごした、涙とともに朝を待ちわびた。そういうことを経験した人こそ「神々を本当に知った人」であることをゲーテは見抜いていたのです。

時間に追われ続けることは、悲しみをまるでないかのように過ごすこと。土台を欠いたまま楼閣を作ろうとすることです。そんなものは、いずれ破綻してしまうでしょう。だからこそ、立ち止まって振り返ってみる。

立ち止まることで、「自分がどこにいるか」を確認できるのです。

こうして、わたしたちは不安に翻弄されないようになれるでしょう。

【脚下照顧】

『禅関策進《ぜんかんさくしん》』という、中国明代末期に禅の言葉を選んでまとめた書物に、次のようにあります。

必ず諸々の祖師方の重関《ちょうかん》を打破し、あまねく知識に参じ、すべての浅深をわきまえて

から、水辺や山中に隠遁《いんとん》して聖胎《しょうたい》を保養い、仏法を守護する龍天が推挙されて、はじめて世間に出て宗教を扶揚し、あまねく衆生《しゅじょう》を済度《さいど》するのだ。

この一節で言っているのは、「僧侶は立ち止まれ」ということです。そのために、「水辺や山中に隠遁して聖胎を保養しなさい」と書かれているのですが、これはあくまで説教の相手が僧侶や修行者たちだからです。

無論、僧侶ではない人たちにも通用します。水辺や山中ではなくても、**日常の中に「立ち止まる」時間と場所を作ってしまえばいい**のです。

日本文化には、そのための絶好ポイントがあります。それが玄関です。

前述の、禅寺の玄関に見る「脚下照顧」と書かれた木札です。「靴を揃えなさいという意味ですよ」と教えられることもありますが、もう少し、この禅語を深めてみれば、それは、「立ち止まって、自分の生活の足下を見てみなさい」という教えです。

玄関で靴を脱ぎ捨ててバタバタと家にあがることは、それだけ乱雑な暮らしをしている証拠です。

玄関の様子は、わたしたちの心を表しています。

必要最低限の靴だけ外に出ていて、他の靴は靴箱の中。しかも外に出ている靴は揃っている。そんな人たちは、同じように不安とも上手につき合っているのです。

もし、うっかりして靴をテンでバラバラに置き捨てる日々が続いていても、だいじょうぶです。そんな日々こそ、「脚下照顧」のメッセージが効いてくるでしょう。

一度立ち止まって、自分の生活を振り返ってみましょう、と。

立ち止まることには、不安とのつき合い方以上に素敵な効果があります。

それは、「しあわせ」に気づけることです。

しばしば、「しあわせ」は手にし難いお宝のように誤解されます。けれども、しあわせとは、ごくごく身近なものなのです。

しかしまた、密やかで忍びやかなものでもあります。

突っ走っていては見落としてしまうほどに小さい。それがしあわせです。

慎もう

知足

人間は、有限で不安定で弱い存在です。
わたしたちの有限性を自覚しましょう。
不安にもまた、自分自身にふさわしい「分限」があるのです。
「慎む」とは、楽しみを減らすことではありません。
己の有限性と弱さの自覚のもとに、上手に楽しむことです。

[楠の木のように]

龍源寺の庭に大きな楠の木があります。樹齢、四百年は超えているでしょうか。わたしの亡くなった祖父や父もこの木で遊んでいたことでしょうし、わたしもまた小さい頃には、友人たちとこの木に登っていました。

明治維新、関東大震災、太平洋戦争のときも、この木はお寺の庭にそびえ立ち、祖父と父の通夜・葬儀のときも、この木は同じ場所に堂々とそびえ立って、まるで、二人の人生の旅立ちを見守っているようでした。

中国唐の時代の詩人、劉希夷《りゅうきい》に、「代悲白頭翁（白頭を悲しむ翁に代わりて）」と題する詩がありります。『唐詩選』に選ばれている詩なのですが、そこにこんな一節があります。

年年歳歳、花相似たり　歳歳年年人同じからず（年年歳歳花相似　歳歳年年人不同）

楠の木は、毎年葉が落ち、そして毎年同じように若葉をつけます。毎年五月から六月にかけて、白く淡いきみどり色の小さな花を咲かせます。

その間、お寺の中はというと、年ごとにさまざまな変化があります。

檀家さんの世代交代が行われ、お父さんから息子さんの世代になりました。出入りしている造園屋さんや大工さん、お花屋さんも、お父さんの代から息子さんの代になりました。

わたしには娘が生まれ、家族の形が変わりました。

この楠の木は、これらを見守るように、堂々と立っています。

この楠の木の在り様が「慎む」鏡です。

「慎む」とは、流行に飲み込まれずに、ありのままの自分で堂々と生きることなのです。

毎年、葉っぱがつき、そして葉っぱが散る。四百年前からずっと楠の木は、同じことを行っています。葉っぱは一年の寿命しかありません。一年という変わりゆく時節の中で、各々の若葉たちもまた、堂々と自分の役目を全うしていきます。こうして楠の木は、四百年経った今もなお、大地にしっかりと根を下ろし、堂々と立っているわけです。

【諸行無常】

人類も生と死を繰り返しています。わたしたちの「いまここ」も、ご先祖たちの生死の上に成り立っています。このような**限りある生の連続が「諸行無常」です。**

秋といえば紅葉狩り。山へ出かけて、お食事やお酒をいただきながら、みんなで楽しく、山々の紅葉を楽しみます。たしかに、紅葉はきれいですが、紅葉というのは、葉っぱにとっては散る前の姿です。青い葉っぱから、少しずつ黄色になって、最後には落ちてしまう、葉っぱの諸行無常の姿です。わたしたちに当てはめてみれば、八十代九十代のお爺ちゃんお婆ちゃんたちになるでしょう。

晩年の美しさは、杜牧《とぼく》の「山行《さんこう》」という詩にありありと表現されています。

車を停めて坐に愛す楓林《ふうりん》の晩
霜葉《そうよう》は二月の花よりも紅なり

車を停めて、なんとなく、夕日に照り映えた美しい楓の林にうっとりと見とれてしまう。霜にうたれて紅葉した楓の葉は、あの二月に咲く春の花よりも、いっそう鮮やかな紅の輝きを見せている。

このような美しさは、葉っぱに限らず、人間の姿にも認められます。

龍源寺にも、素敵な老夫婦の方々がたくさんいらっしゃいます。若い方に負けない元気さと鮮やかさを持っています。そして、彼らから多くのアドバイスを、わたし自身も受けています。

お爺ちゃんお婆ちゃんたちには、「きれい」より「素敵だ」「見事だ」がふさわしいでしょうね。病気や事故など、さまざまなアクシデントもあったことでしょう。それでも彼らは、「諸行無常」の人生を、慎ましやかに、そして見事に生きているのです。

青い若葉から少しずつ黄色になって、最後には落ちてしまう葉の諸行無常。「諸行無常」の「行」という字は、インドの言葉であるサンスクリット語で、「サンスカーラ」、現象の意味です。

現象とは、生まれて死ぬもの。原因と結果があるもの。つまり、わたしたちの存在も指します。**この世のすべての姿の本質は無常。一瞬といえども同じ姿を保持することができないのです。**

慎むとは「分を超えない」ことです。

楠の木は、永遠の若さを欲しません。

銀杏にも桜にもなれませんし、それらに嫉妬することもありません。

しかし、わたしたちは？

さぞ、楠の木は呆気にとられていることでしょう。

わたしたちの有限性を自覚しましょう。

不安にもまた、自分自身にふさわしい「分限」があるのです。

［縁に生きる］

わたしたちの人生も、楠の木と同じです。

最も忌むべき心は、「自分一人でできる」という傲慢です。

「生きるも死ぬも自分次第」という考え、「自分の人生なんだから、好き勝手に生きればいい」も、慎むべきところでしょう。

一見、不安とは無縁の人生を送るための虎の巻のようですが、実情は真逆。不安を生み出してしまう偽りの教えです。

人間は、有限で不安定で弱い存在です。

しかし、そんな人間だからこそ縁を感じることができるのです。

命も縁によって授かるものです。人生も縁で成り立つものですし、死もまた縁なのです。

与えられた人生という区間を一生懸命走り抜けて、わたしの人生を行き切る。それはリレーのようなものです。誰もがバトンを渡されているのです。そしてそのバトンを次の世代の人に受け継いでいく。

人生の使命とは、まさにここに尽きるでしょう。わたしたちの先祖もそうしてくれたからこそ、わたしたちがここにいるのです。

「縁に生きる」ということは、わたしたち自身の有限性や不確実性をわきまえることです。

それは**自分の弱さの自覚なのですが、同時に、この自覚によってわたしたちは強く生きることができる**のです。

慎めればこそ、わたしたちはありのままの自分のまま、堂々と歩いていけるのです。

わたしの母が口にする言葉の一つに、「何かちょっとしたことでも悪いことをしてはいけないのよ」があります。

母は北鎌倉の禅寺に生まれ、現在も龍源寺を護持し、旅行や買い物に出かけることもなく、まったくの自然体でお寺に来られる檀家さんと接しています。

多くの人の寂しさ、悲しさとつき合い生きてきた母の言葉には、真心がこもっています。そして、母と接した人たちは、言葉を受け取りながら、その心を受け取っているようです。

派手な生活を夢見る人には、いかにも退屈な人生に見えるかもしれません。しかし、この慎ましやかな人生にこそ、わたしたち人間の本領が認められるのではないでしょうか。

さまざまな縁によって生かされているという自覚は、慢心を戒めてくれるでしょう。

【上手に楽しむ】

さて、「慎ましく生きなさい」というメッセージを、「楽しさをできるだけ控えて、なんなら楽しいことをすべてやめて、大人しくしていなさい」なんてプレッシャーと感じてしまう人もいるかもしれません。だとしたら、それは誤解です。

たしかに、「慎む」という言葉はいろいろな意味で受け取られます。「自制しろ！」「禁欲しろ！」のように、感情や欲望を悪と見做《みな》し、それらを意志の力でコントロールする「慎む」。禁酒や禁煙、「口を慎む」など、悪い習慣をなくすハードな鍛錬。辛くて苦しい気持ちを連想する人のほうが多いでしょう。「派手な生活」「自分勝手な行動」の人たちには、楽しみを奪われてしまうように見えてしまっても無理もないでしょう。あわよくば逃げたくなる気持ちもわかります。

けれども、**「慎む」とはむしろ、上手に楽しむこと**なのです。

「楽しんではダメ！」もまた、傲慢な心です。「楽しみましょう、上手にね」、これが「慎む」ことです。それがひいては、**上手に不安とつき合うことになります。**

十七世紀のオランダの哲学者、かのスピノザもまた、分を過ぎた節制や禁欲を戒めています。畠中尚志先生が翻訳された岩波文庫『エチカ』から引用しましょう。

楽しむことを禁ずるのは、粗野でくだらない迷信でしかない。憂鬱になるよりも、飢えや渇きを鎮めるほうが望ましいのだ。美味しい食べ物や飲み物を、ほどよく摂取して、よい香り、植物たちの心地よい美しさ、音楽や運動、他にも、他人も自分も害することなく、だれもが活用できるものによって、元気になろうではないか。

「慎む」とは、楽しみを減らすことではありません。それによって憂鬱になったり、他人を羨むようになったりしたら本末転倒です。

「慎む」とは、上手に楽しむことです。そして、**上手にとは、「ほどよく」です。**

趣味だろうが、食事だろうが、そして仕事や勉強だろうが、上手に楽しむことが「慎む」ことなのです。

人生を上手に楽しむ人たちは、「諸行無常」も上手につき合えます。

なんとなく受けた検査で、病気が見つかってしまった。事故に遭ってしまった。全力で頑張ったのに、試験に落ちてしまった。その他諸々、**人生にはアクシデントがつきものです。そんなときこそ、上手に楽しむ心が必要です。**

そして、**わたしたちは一人では生きていないこと、多くの方々に助けてもらい、生かされていることに、アクシデントのときこそ、気づかされるでしょう。**

念のためですが、楽しむとは、いつも笑っていましょう、ということではありません。ちゃんと涙を流すことも、上手に楽しむことです。

苦楽をコントロールするのは、これまた分を過ぎた傲慢です。泣くときは、しっかり泣いていいんです。

遊ぼう

応無所住而生其心

結果や生産性という鎖を外してしまうことです。外すことさえできれば、わたしたちも、幼児のようにあるいは荘子のように、自由に遊ぶことができます。

【遊べない大人】

先日、娘の保育園でこんな光景を目にしました。

「いとまきまき、いとまきまき、ひいてひいてトントントン」

ご存知、「いとまきの歌」です。わたしたちにも記憶があります。子どもたちといっしょに「いとまきまき」で踊っている先生たちも、元気で笑顔でした。

いとまきまき　いとまきまき
ひいてひいて　トントントン
いとまきまき　いとまきまき
ひいてひいて　トントントン
できた　できた

こびとさんの　おくつ
きれいに　てをあらって
きれいに　てをふいて
きれいな　パンツはいて
きれいな　ぼうしかぶって
こびとさんのおうちに　いきましょう

子どもたちは、先生たちのマネをしています。なんとなく先生たちを囲んでいますが、出入り自由です。我流でマネする子もいれば、ゼスチャーに真剣な子もいる。この遊びの輪に入らない子がいたとしても、仲間外れにはなりません。「そうしたい子」として認められている。子どもたちの遊びは、やるもやらないも自由のようです。そこに、クラスメイトや先生たちからの評価が混じることは、決してありません。

さて、この遊び歌は、デンマークの民謡がオリジナルで、題名は« Skomagerstykket »「靴屋の歌」です。

Først den ene vej（最初はこっち）
og så den anden vej（お次は反対）
og tju og tju（そしてシュッ、またシュッ）
og skomagerdreng（靴屋の少年）
Skomagerdrengen er et svin（靴屋の少年はダメなヤツ）
for han drikker brændevin（ブランデーを飲んじゃうの）

「いとまきまき」のような子ども向けの遊び歌ではなかった民族舞曲が他国に渡り、そこで遊び歌へ変わってから日本に届いたようで、他国でも子ども用の遊び歌として親しまれています。曲はオリジナルのものがそのまま使われていますが、歌詞とゼスチャーには、少しばかりの違いがあります。中でも最も日本の遊び歌に近いのが、アメリカの《Wind the Bobbin Up》でしょうか。

Wind the bobbin up（糸を巻き上げ）

Wind the bobbin up（糸を巻き上げ）
Pull, Pull, Clap Clap（ひいてひいて　パンパンパン）

Wind it back again（糸を戻して）
Wind it back again（糸を戻して）
Pull, pull, clap, clap, clap（ひいてひいて　パンパンパン）

Point to the ceiling（天井を指して）
Point to the floor（床を指して）
Point to the windows（窓を指して）
Point to the door（ドアを指して）

Clap your hands together One, Two, Three（拍手をしましょう1、2、3）
Put your hands upon your knees（両手をヒザに置きましょう）

アメリカの歌には「Wind it back again」の箇所があります。「巻いて戻して」がゼスチャーで繰り返されます。糸が尽きませんので、遊びも繰り返されます。

この辺の事情は、フランスの「いとまきの歌」も同じです。

Enroulez le fil（糸を巻いて）
Déroulez le fil（糸を戻して）
Et tire et tire, et tape, tape, tape（ひいてひいて、パンパンパン）

日本では「まきまき」「まきまき」「まきまき」していきます。最終的に、何かが完成しそうな勢いです。それが「小人さんの靴」というわけです。

ところで、各国の「いとまきの歌」の引用が何に繋がっていくのか？　どんな意味があるのか？　そろそろ気になってきていませんか？

別に意味はないです。と言ったら、怒りますね。でも、すみません、意味はないんです。

現代人にとって、大人になることは遊びを忘れることかもしれませんが、道草も無意味もいいものです。成果を要求される仕事には回り道かもしれませんが、不安と上手につき合うには、これが正道です。

いま、わたしたち大人は、どんな遊びをしているでしょうか？

遊びの手解《てほど》き書として有名な本があります。二十世紀フランスの社会学者、ロジェ・カイヨワが著した『遊びと人間』です。こんなフレーズがあります。

遊びとは、人が自分の行為についての一切の懸念から解放された自由な活動である。

（« Les Jeux et les Hommes »）

わたしたちの遊び方を反省しますと、「一切の懸念からの解放」がどれほど難しいかわかります。『生物と無生物のあいだ』で一般にも知られるようになった生物学者、福岡伸一先生は、「きみが教えてくれたこと」というエッセーで「生産性より遊び」というエールを、わたしたち大人に送っています。このエッセーは新潮文庫『センス・オブ・ワンダー』に収録されています。

大人になると、生物は苦労が多くなる。そこにあるのは闘争、攻撃、防御、警戒といった待ったなしの生存競争である。対して、子どもに許されていることはなんだろう？遊びである。闘争よりもゲーム、攻撃よりも友好、防御よりも探検、警戒よりも好奇心、それが子どもの特権である。つまり、生産性よりも常に遊びが優先されてよい特権的な期間が子ども時代だ。

どうやら、遊ぶ前に遊びの目的（そんなものはないのですが）を確認し、準備万端整える。しかし、いざ本番となると目的達成が先走ってしまい、ちゃんと遊べない。これがわたしたち大人なのかもしれません。

【嘆きも羨みも呪いもしない】

そんなわたしたちを最高に反省させる存在は、子どもたちかもしれません。ニーチェは『曙光《しょこう》』でこんな警句を残しています。ニーチェの日本語訳は今やたくさんありますが、ここでは茅野良男先生の訳（ちくま学芸文庫）をお借りしましょう。

子どものように生きる。自分の糧のために戦わない。また自分の行為に決定的な意義があるとも信じない。そんな者はいつまでも子どもらしい。

ニーチェは、西洋では珍しく、「子ども」を至高の存在として位置づけています。彼の主著の一つ『ツァラトゥストラはこう言った』には、精神の三段階の変化が描かれています。「ラクダ」から「ライオン」、そして「子ども」へと精神は変化していくと。

ラクダは、服従と勤勉を象徴します。そして、服従に反抗し自由意志を獲得するのがライオン。ただ、ライオンは既存の価値観と戦うための存在。わたしたちは自由を生きなければなりません。だからニーチェにとっては、ライオンの精神は破壊する力、子どもの精神は創造する力なのです。

人は、遊びたいときに遊びたいだけ遊ぶ。この意味で遊びは自由な活動である。

（《Les Jeux et les Hommes》）

さて、『遊びと人間』での別の一節です。この本でカイヨワは、「遊び」を「六つの要素」「四つの役割」「二つの態度」で分類します。ここでは「六つの要素」の中から最重要項目を選抜しましょう。

非生産的である。遊びによって財産ができることはない。認められる成果もない。

（《Les Jeux et les Hommes》）

これは「遊び」の真髄とも言えるでしょう。

ところが、わたしたちはどうでしょう。

良い結果を残せなかったら、後悔します。良い結果が残せたら残せたで、それを死守しようとします。わたしたちは、過去の結果に縛られながら生きています。もちろん、結果も大事です。でも、それを抱え込むことはタブーです。

遊べない大人たちの問題には、二つのレイヤーがあります。
一つ目は「結果にこだわる」こと。
もう一つは「結果を保持しようとする」ことで、それは「こだわり」以上に不安を厄介なものにしてしまいます。

『曙光』からもう一節、抜き出しましょう。

一般的に、人間はなにかを所有するために行為する。一切の過去の行為を、あたかもいま現在、所有しているかのような発言の数々。人間とはなんと貪欲なのだろう。過去さえ我が身に繋ぎ止めようとするとは。

所有に心を奪われた人間を、ニーチェは「嘆き、羨み、呪う人たち」と表現しています。
そして、「嘆き羨み呪い」に支配された心にとっては、不安は最大級に厄介な代物になってしまいます。

たしかに結果は大事です。遊びにも「勝負」があります。負けよりも勝ちを目指すでしょう。しかし、**勝負がついたら、それで終わり。これが遊びの鉄則。**

でも、「勝った」「負けた」をいつまでも引き摺る人がいます。彼らの口から漏れ出てくるのが、「嘆きや羨みや呪い」なのですね。

遊べる人は、嘆きもせず、羨みもせず、呪いもしません。生産性が度外視されているからです。

[子どもたちといっしょに]

わたしは、六歳になる娘の幼稚園の送りを毎朝の日課としています。家内は仕事を持っているため、幼稚園の迎えもすることがあります。

幼稚園の年少・年中・年長と三年間、娘と向き合ってきました。家では、果てしない粘土遊びや積み木遊びによってリビングが散らかり、すごい状態になってしまったり、汚い葉っぱや、虫を家の中に持ってきて家内を驚かせたりしています。最近は、娘が虫を持ってきても、家内が驚かないようになりました。「遊び」をいっしょに楽しむといった世界が芽生え始めてきたようです。

娘はいつも仲良し三人組で近くの公園で遊びます。よく見ていると、三人で遊びを考えて、ルールを作っています。ひとりひとり意見を出し合いながら、みんなで楽しめるように遊びを考えています。自分たちで課題を探し出し解決していく力や、新しいものを発見する力が、子どもたちには備わっているようです。彼女たちは、遊びの中で想像と創造を繰り返しているのです。

遊びというと、与えられたもので遊ぶといったことが多々あると思います。ネットゲームなどが挙げられるのでしょう。子どもがタブレットで遊んでいると、その時間、親は手が空くので育児に楽な部分もあるのですが、依存症や、「朝起きられない」「ひきこもる」

などの若者が増えているといったことを耳にします。デジタルに対して慎重にならなければならないでしょう。とはいえ、大変便利なものでもあります。すべてのデジタルを禁止するのではなく、親もいっしょにデジタルで遊んでしまえばよいのでしょう。

わたしはといえば、デジタルに弱くアナログ派で、ネットゲームもしたことがなく、特にこれといった趣味もありません。ショッピングに時間を割くこともなく、旅行に誘われれば行くには行くのですが、どこに行くかもあまりわからないまま連れて行かれます。観光というもの自体が苦手なんですね。時間があれば、書斎にこもり、調べ物や読書をします。他には、家の中や外の掃除が好きですね。

他の人からは、退屈なように見られますが、わたしとしては、自由に、そして充分に楽しく遊んでいるのです。

成り行きに任せて過ごすことも、遊びになります。わたしは毎夏、軽井沢の坐禅堂に参ります。その途次《とじ》、地元の方と話をしたり、その帰りに「道の駅」などで採れたての野菜をお土産用に購入したりします。あらかじめ目的とされた人でも場所でもありません。行き当たりばったりという感じです。

紀元前、中国戦国時代の思想家、かの『荘子』の一節を紹介しましょう。

むかし、荘周が夢に胡蝶となった。ひらひらとして、蝶そのものである。自由自在の楽しさ、周であることなど忘れていた。ふと目覚めるとなんと荘周であった。周が夢に蝶になったのか、蝶が夢に周となったのかわからない。周と蝶とは別のはずである。

胡蝶が荘子（荘周）になったのか、荘子が蝶になったのか。荘子はいたるところで主体性を楽しみながら、その場その場の連続的な変化に身を委ねています。蝶のときは蝶として遊び、荘周のときは荘周として遊ぶ。蝶になろうともしませんし、荘周で居続けようともしません。一切の懸念から解放され、彼はただ縁に従っています。これはもう、人生そのものを遊びとする、至極の境地ですね。

運命とすら戯れてしまう荘子。彼ほどでなくても、わたしたちにはわたしたちに適当な遊びができます。カラオケでも散歩でもサッカーでも、なんでもいいのです。ただし、**結果や生産性という鎖を外してしまうこと。**外すことさえできれば、後は自由気ままに遊びましょう。

「いや、でもそれも難しい」ですって？　では、奥の手を伝授しましょう。子どもたちといっしょに遊んでしまえばいいのです。

第2章でもご紹介した『沈黙の春』などで知られる生物学者、レイチェル・カーソン、彼女が『センス・オブ・ワンダー』で書き記したこんなアドバイスが、最も平易で妥当かもしれません。

子どもといっしょに自然を探検することとは、まわりにあるすべてのものに対するあなた自身の感受性にみがきをかけるということです。それは、しばらくつかっていなかった感覚の回路をひらくこと。つまり、あなたの目、耳、鼻、指先のつかいかたをもう一度学び直すことです。

調えよう

平常心

「調える」は調和。「整える」は秩序。
正しさよりもバランスを重視するのが「調える」なのです。
そして今、わたしたちに必要なのは、バランス。調えることです。
身体がそれを教えてくれます。

［整える］

「ととのえる」には二つの漢字があります。「整える」と「調える」です。わたしたちがお薦めするのは「調える」なのですが、まずは「整える」について、身の回りを振り返りながら考えてみましょう。

「整える」といえば、何を連想するでしょう？「服装を整える」、「コンディションを整える」、「交渉を整える」……。どの用例にも、「乱れていたところを直して、秩序立てて揃える」という意味があります。漢字研究第一人者、白川静先生の『常用字解』には、「整はもと不揃いのものを揃えるの意味であるが、のちすべてのことの不整合を『ととのえる、ただす』こと、そして『**正しい状態にする**』ことをいう」とあります。

第2章の〈承認欲求〉でも「いいねの数を整える」とお伝えしました。それは、「誰が誰だかわからない知り合いを、『知り合い』として正しいところへと戻す」ことでした。「立ち止まろう」で紹介した「脚下照顧」。靴を揃えたり、床を掃いたりして玄関を整えることで、自分の生活を振り返ることでした。

「整える」から見えてくることは、ダラけたり、乱れてしまうわたしたち人間の姿です。「整理整頓」なんて張り紙が諸処にあるのは、その証です。誰もがみんな、普段から無意識に「規則正しい」生活が送れるようなら、「整える」なんて言葉は不要です。**「乱れる」がベースにあるから「整える」が必要**なのです。

けれども、身の回りを整えておこうと決意しても、やらなければいけないことに追い立てられて、そちらに気が回らないこともあるでしょう。特に、小さい子どもがいる家庭では、「整える」ことが難しいことでしょう。

やらなければならないことを終えたときには、すっかり疲れてしまい、片づけなどの整理をする体力も時間も残されていない。うっかりそんな日々が続いてしまい、気づいたら家の中が乱れていた。なんて、わたしはそんな日々の真っ最中です。

お布団を整えられないまま、もう何週間過ぎているでしょうか。健康のためにウォーキングをすると決めても、何日できないままとなっているでしょうか。


ここで、考え方を転回させてみましょう。


意識しないまま常に、生活空間や習慣が「秩序正しい」のなら、それは機械と同じです。ふと気がつくのは、「整っている」自分ではなく、どこか「乱れてしまった」自分。だからこそ、「整える」意識と時間が必要。「脚下照顧」は、なんでもスマートに完璧にこなせないわたしたちへの、温かい激励の言葉なのでしょう。

乱れたままにしなければいいのです。

乱れを整える時間を、積極的に作りましょう。「整える」ことで、家もキレイになるし、ついでに自分自身の姿を反省することができます。

「調える」

さて、本命は「調える」です。

「調」を使った熟語としては、「調子」「調理」「調光」「調律」「調整」などが挙げられるでしょう。

坐禅を経験された方なら、その際、僧侶から「調身・調息・調心」の説明を受けたかと思います。まず姿勢を調えて、そして息を調える。そうすることで自ずと心が調ってくるのです。

『常用字解』に、「調は和するなり」とあります。つまり**「調和させる」ことが「調える」**なのです。

「調える」は調和。「整える」は秩序。ここにこの二つの違いがあります。

別言すれば、**正しさよりもバランスを重視するのが「調える」**なのです。

「正しさ」には、普遍的かつ絶対的な価値がありますが、一方の「バランス」は、わたしたちそれぞれの身の有り様によって変わってきます。

「正しい食事」と聞かされたら、戒律に基づいた食事や、食べられない食材が多くある食事が連想されるかもしれません。でも、「バランスのとれた食事」には、タブーはありません。タブーがあるとしたら「食べてはいけない食材」ではなく、アンバランス。偏っていることです。この**アンバランスを直すのが「調える」です。**

アンバランスで思い起こすのは、勉強ばかりさせられている子どもたちです。「地獄」と形容される受験期間を体験している子どもたちも、数多くいます。素直な子どもたちほど、親や先生の言うことを聞きますので、そんな偏りはいっそう無残です。そして、数々の哲学者たちが、この「偏り」を指摘してきました。

アランのこんな痛言を受け取れるでしょうか？

教育者の中には、子どもを一生の怠け者にしてしまう者がいる。理由は簡単だ。いつもいつも勉強させたがるからだ。そうすると、子どものほうは、だらだらと勉強する習慣を身につけてしまう。下手な勉強を覚えてしまうのだ。そこから、四六時中勉強に迫られた重苦しい疲労感が出てくる。

（« Propos sur le bonheur »）

【身体がバランスを教えてくれる】

哲学者に「バランスをどこに認めるか?」と質問してみましょう。「自然にこそバランスがある」と答える哲学者たちも多いでしょう。その一人が、十六世紀ルネサンス期を代表する哲学者モンテーニュです。

自然はわたしのような記憶力が弱い者に対して、他のいくつかの能力を強くしてくれた。もし記憶力が、あらゆることを覚えるほどの力を発揮して、他人のさまざまな意見をそのままわたしの中に置いてしまうようなことになったら、わたしは自分の精神、自分の判断力を、本来の力を発揮させないまま萎えさせてしまっただろう。（« Les Essais »）

覚える力ばかりが持て囃《はや》される記憶力ですが、これは大きな誤解です。記憶力の最大の効果は「忘れる」ことにあるのです。**ちゃんと忘れることで、記憶はバランスをとっているのです。**しかも、記憶力が劣っていることもまた、全体的な人間力からすればバランスをとっていることだとモンテーニュは見抜いています。

そんなモンテーニュの教育観も、アンバランスを警戒するものです。

子どものためには、満たされた頭よりも、うまく仕上がった頭を持った教師を選びましょう。その教師は生徒に、教科の用語についてだけでなく、その意味や実質について説明を求め、そして生徒の記憶によってではなく、生徒の生活を根拠にして、その成果を判断するでしょう。

（《Les Essais》）

「満たされた頭よりも、うまく仕上がった頭」とは、押し入れで考えるとよいでしょう。「満たされた頭」は、なんでもかんでも詰め込まれた押し入れ。「うまく仕上がった頭」は、出し入れがスムースにできる押し入れに喩えられます。

「将来役に立つ」とか「今必要だから」などと命じられて、知識をどんどんインプットしていく。そんな子どもは、知識の使い方を身につけないいまま、成長していくでしょう。いざというときには、何も取り出せない。結局、全部出して、初めからやり直し、なんてことに。

押し入れならこんな離れ技もできますが、頭はそうはいきません。押し入れ以上に、**頭脳にとってはアウトプットが、インプットとアウトプットとのバランスが大事**なのです。

モンテーニュは、**アウトプットの根拠を「記憶ではなく生活」**に置いています。生活の中でのアウトプットが大事で、単なる知識のストック（インプット）は宝の持ち腐れなのです。

家具や電気機器で考えてみましょう。誰かが使えるものでも、自分が使えるとは限りません。知識も同じです。100人中99人にとっては貴重なものでも、自分には不適当かもしれません。

不安に対抗しようと、知識の武装へと腐心する人もいるでしょう。しかし、モンテーニュは忠告します。どれほど高価な鎧や剣でも、どれほど優れた鎧や剣でも、自分の身に合っていなければ使えません。知識も同じ。身体に適当なこと、これがバランスなのです。

モンテーニュはわたしたちを、優しく激励します。

頭であれこれ考えず、実際に使ってみましょう。

バランスは頭ではなく身体が教えてくれます。

頭であれこれ考えると、不安もアンバランスになってしまいます。

身体を頼りにしてしまいましょう。自然のバランスは、身体が教えてくれるのです。

「記憶ではなく生活」。そうすることで、不安も自ずと調えられてくるでしょう。

自然は、わたしたちが理解している以上に「しごとの仕方」を心得ているのだ。わたしたちは、自然のしごとの仕方を静かに受け入れていればいい。もちろん、この「しごとの仕方」はわたしたち自身にも当てはまる。わたしたちも成長し、熱を帯びて活動するが、いずれは年老いて、衰弱し、そして死んでいく。

（« Les Essais »）

慈しもう

和顔愛語

金銭や物品だけでなく、時間も空間も自分の所有物と見做していませんか。
そもそも、「所有」には「自由に扱える」というニュアンスがあります。
でも、わたしたちには「自由にならない」ことのほうが多い。
だから、不安になります。
所有病から回復した人たちは、「自分を慈しむ」ようになります。
「自分を可愛がる」のではなく「自分を慈しむ」のです。

［子育て幽霊］

世界の童話や昔話には、長い年月をかけて醸成された味わいがあります。特に日本昔話には、西洋の価値観を転覆させるような仕掛けが諸処に見られます。代表的なものは『貧乏神と福の神』でしょう。一般的な価値としては福の神に軍配があがるでしょうが、日本昔話では「勝ち」が貧乏神になってしまうのです。

しかし、**この価値の転換こそ、不安とのつき合い方に欠かせません。**反対に、価値を固持しようとすることは、不安をどんどん生み続けることになります。

さて、そんな日本昔話から、『子育て幽霊』を紹介します。

ある村の飴屋を夜更けに訪れた一人の女性。

「飴をください」

これまで見かけたことのない顔でした。店主は、なんとなくゾクゾクした寒気を感じていました。それからこの女性は、毎晩、夜更けに飴を買いに来るようになりました。ある晩、隣村の飴屋が、たまたま居合わせました。そしてその晩も、かの女性は飴を買いに来ます。この女性を見た隣村の飴屋は、思わず震えだしてしまいました。

「あれはひと月前に死んだ松吉の女房だ」

でも、なぜ死んだ女性が飴を買いに来るのでしょう？　二人が後をつけてみると、この幽霊はお寺に入っていき、自分のお墓の前でスッと消えてしまいました。二人は慌ててお寺の住職にこの様子を伝えます。そして三人で幽霊が消えたところに向かうと、赤ん坊の泣き声が聞こえてきました。

どうやら、捨てられた赤ちゃんを幽霊が育てていたようです。しかも、顔を知られているのを憚《はばか》り、わざわざ隣村まで飴を買いに行っていたようでした。

「やさしい仏さまじゃ。この子はわしが育てるから、安心してくだされ」

この赤ちゃんはお寺で育てられるようになりました。こうして、この幽霊は二度と出なくなりました。

「なぜ幽霊が出るのか？」と聞かれれば、「恨みや心残りがあるから」、こんなところが一般的な答えでしょう。でも、この話の幽霊はそんな常識を覆します。

彼女は此の世に思い残すこともなかった。にもかかわらず、戻ってしまった。それはただただ、見ず知らずの小さな赤子を救いたいがためでした。

「赤ちゃんが泣いているのに、放っておけるはずない！　わたし一人、成仏などしていられない！」、そんな切実な思いだったのでしょう。目の前にいる救うべき小さな命が、この女性を彼岸から現し世《うつ》へと戻させました。

たいてい、幽霊が登場する映画などは「ホラー」になりますが、この話に限れば恐怖は皆無。むしろ、「ヒューマンドラマ」になってしまうでしょう。

彼女は赤子を抱きながら、どんな表情をしていたでしょうか？　さぞ「やさしい眼差し」を向けて、「にこやかな顔」をしていたことでしょう。どれほどの「やさしい言葉」をかけていたでしょう。

強く握ってしまうと壊れてしまいそうな、儚《はかな》い命。そんな命に触れてしまうと、誰もがその儚さに貫かれるでしょう。

鬼と呼ばれるような人間でも、生まれたての子犬を手に乗せたらどうなってしまうでしょうか。

その掌に乗った命は、いつ消えてしまうかもしれない儚いもの。そのような儚さは鬼にも通じます。彼はこの命を守ろうとするはずです。

人間の赤ちゃん、動物たちの赤ちゃん、そして花や虫たち。このような命に触れる人の手つきや顔つきは、**誰もが慈しみの心を授けられている**ことを証明しています。

［貧者か富者か］

小さな命を慈しむことは、とても素敵なことです。そして、慈しむ心は誰にも与えられているはずなのです。でも「最小のコストで最大の成果」などと煽られるわたしたちには、どうも、その心に気づく暇もなさそうです。

豊かなる　念《おも》ひに通ふ　母の笑み　言葉なくして　見守られつつ

照井親資《てるいしんし》さんの歌です。お母さんと赤ちゃんの微笑ましい姿が詩に描写されていますね。「豊かなる念ひ」は、「慈しみ」とも言い換えられるでしょう。悲しいときも苦しいときも、どのような逆境にあっても、柔軟にすべてを受け入れていく。慈しみとはこのような心のことではないでしょうか。

慈しみの心は、小さな命に触れている自分だけでなく、その場面に触れる人々にも、慈しみを思い起こさせてくれます。

詩の中で、子は母に見守られています。赤ちゃんは、誰かに守られないと生きていけない、儚く危うい存在です。人は誰でも、決して一人では生きていけません。日々、お世話になっているので、大人ならば恩返しをしたいと思うでしょう。しかし、赤ちゃんは恩返しをしたくても、まずできません。

しかし、この詩からわたしたちは、言葉にならない豊かな思いを感じます。つまり、赤ちゃんは、実際に抱きかかえる母だけでなく、この場面に触れる人全員に、慈しみの心を湧き上がらせてくれるのです。

これはもう、大人の想定をはるかに超えた至高の恩返しと言えるのではないでしょうか。

『雑宝蔵経《ぞうほうぞうきょう》』という経典は、次のように説きます。

やさしい眼差しで接すること。
にこやかな顔で接すること。
やさしい言葉で接すること。
自分の身体でできることを奉仕すること。
他のために心を配ること。
困っている人に、席や場所を譲ること。
困っている人に自分の家を提供すること。

これら七つの行いは「無財の七施」と言われるものです。この行いは、お金のかからない、誰もができる布施行《ふせぎょう》です。この布施行の根幹には、慈しみの心があります。

この布施行のチャンスは、富者よりも貧者のほうに多く巡ってきそうです。お金持ちは、有り余るほどの物を持っているでしょうから「無財の七施」を行うまでもなく、余った物を譲ることができてしまうからです。こうして、慈しみの心は隠れたままになってしまいます。

一方の貧しい人たちはどうでしょう。生活に不足はないかもしれませんが、余裕もないはずです。そんな彼らが守るべき命に出会ったとき、許されているのは、「無財の七施」しかありません。慈しみの心を動かすしかないのです。

さらに、所有物の譲渡には一つの試練があります。それが「見返り」です。この試練がいっそう厳しいのは、やはり富者のほうでしょうね。高価なものをあげてもなんの見返りもないとしたら？　そんなことを許せるでしょうか？

貧者にとって、この布施行はそもそも「無財」の行い、お金などかかっていませんから、もともと見返りなど期待していません。

日本昔話では、基本的に富者が意地悪で強欲です。動物や困っている人を助けるのは、たいてい貧者たちです。『子育て幽霊』で赤子を救うのは、貧者どころか幽霊、何も持たざる存在です。『浦島太郎』でも『分福茶釜』でも『鶴の恩返し』でも、貧しい者たちが困っている動物たちを助けます。

これらの昔話には、二つの共通点があります。まず、助けた者たちは、まったく見返りなど求めていません。「助けたい」という一心で、我が身を削って救います。そして、助けられた動物たちが、とんでもないレベルの恩返しをします。

物が有り余る時代になりました。その結果、わたしたちは物によって問題を解決しようとする思考の癖がついてしまったようです。救うべき命に触れたとしても、まず思い浮かぶのは、託すべき保護施設。お金や物を寄付することもできるでしょう。これらもまた貴重な実践です。しかし、より大事なのは、物や金銭による解決ではなく自分自身の行い。これが、「布施行」と呼ばれる所以《ゆえん》です。

昔話の富者たちは、強欲で意地悪です。そして、相応の不安もあります。失いたくない持ち物が有り余るほどにあるからです。一方の貧者たちは、生活に余裕はないけれども、しあわせに暮らしています。なぜなら、所有に対する執着がないからです。身の回りにある物も、適量を超えません。そして、それだけ不安とも上手につき合っているのです。

［「慈しむ」か「可愛がる」か］

ところで、「慈しむ」に似て非なる言葉に「可愛がる」があります。しかし「可愛がる」と「慈しむ」には大きな違いがあります。これもまた「所有」によって説明されます。たとえば、わんちゃん。「可愛がる」人たちは、自分の家の犬だけ可愛がります。そして、他の犬よりも優れたところを自慢するでしょう。でも、わんちゃんを慈しむ人は、自分の犬以外の犬も大切にできます。

「可愛がる」人は、犬を自分の所有物のように扱うでしょう。これは自分の子どもに対しても同様です。子どもを可愛がる人は、子どもを自分の所有物と見做しているのです。犬や子どもを慈しむ人は、どの犬も子どもも大切にできます。『子育て幽霊』が好例ですね。彼女が助けたのは、自分の赤ちゃんではありませんでした。慈しむ人たちは、子どももペットも自分の持ち物のように扱いません。だから、「ペットを捨てる」という選択肢など、そもそもあり得ません。

そして、「可愛がる」人たちは、その動物や子どもからの見返りを期待しています。「可愛い仕草」を求めてしまうのも、SNSなどでその可愛らしさを公開するのも、見返りの一種です。

「慈しむ」人は、見返りなど求めません。これまた『子育て幽霊』が好例ですね。見返りなど期待していないから、二度と現れることはありませんでした。

さて、**「不安が現代病を象徴する」と言われています。しかし、その根っこを辿っていくと、わたしたちが侵されている別の病が見えてきます。それが「所有病」**です。

金銭や物品だけでなく、時間も空間も自分の所有物と見做していませんか？

だから、時間や空間が奪われることに不安になってしまうのです。

「コスト」や「対価」、それに「効率」など、こんな言葉を口にしていませんか？

これらは、所有病の症状。所有病が進行すると、人間も自分の所有物のように扱うようになってしまいます。

そもそも、「所有」には「自由に扱える」というニュアンスがあります。

かつて「奴隷」は主人の所有物でした。つまり、奴隷を生かすも殺すも主人次第だったのです。

たしかに、お金や物なら好きなように扱うこともできるでしょう。でも、わたしたちには「自由にならない」ことのほうが多いはず。時間も空間も身体もその一つです。

ところが、所有病に罹《かか》っている人たちは、それらが思い描いたとおりにならないと、苛《いら》立《だ》ったり焦ったり羨んだり、果てには呪ったりします。

この病に罹っている人は、自分勝手に不安をどんどん増産してしまうのです。

でも、この所有病は思い込みの病気です。手術や医薬品は不要です。考え方を変えることで、自ずと治癒されます。

そして、「無財の七施」のような行、慈しみの心が発動する行いこそ、この病の特効薬なのです。

そして、所有病から回復した人たちは、「自分を慈しむ」ようになります。

「自分を可愛がる」のではなく「自分を慈しむ」のです。

［自慈心と自尊心］

「自分を慈しむ」心は「自慈心」として、昨今注目されているマインドフルネスでも重要項目の一つになっています。これまた似て非なる言葉に「自尊心」があります。

さて、「自慈心」と「自尊心」はどのように違うのでしょうか。

マインドフルネスでは、「自尊心」は他者との比較による自信、つまり優劣によって担保される自信と説明されます。人より優れたキャリアや成果がある自分が、可愛くてしかたがないのでしょうね。

一方の「自慈心」には、他者との比較は紛れ込みません。自分という儚い命を慈しむ心です。

さて、この二つを解析してみますと、ここでも「所有」が問題となってきます。「自尊心」は、自分の功績や権威を保持することによって成り立つもの。自尊心がこだわるのは、自分自身ではなく、他の人より優れたキャリアや成果。ですから、これらを失うことを恐れます。自分の評価が変化してしまうことに不安を感じます。

マインドフルネスでも、自尊心は壊れ易いと警告されますが、まさにこの「失うことを恐れる」ところに起因するでしょう。自尊心の塊の人は、同じように不安の塊にもなっているのです。

一方の「**自慈心」は、自分自身に向けた「無財の七施」を行う心**とも言えるでしょう。ですから、ここに自分の持ち物は関わってきません。物品が決め手になるわけでもなく、手柄によって優劣がつくものでもありません。評価が上がろうが下がろうが、「自慈心」にとってはお構いなし。

ですから、**「自尊心」と違って「自慈心」は壊れようがない**のです。

幽霊や鬼でさえ、儚い命を慈しむことができます。わたしたちにも、本来、慈しみの心は与えられています。

そして、儚い命とは、赤ちゃんの命ばかりではありません。堅牢で永続する命などありません。どの命も、壊れ易く傷つき易いものです。どれもが慈しむべき命なのです。所有物のように好き勝手できるものではないのです。

赤ちゃんや花や虫を慈しむように、自分自身とも「やさしい眼差し」で、「にこやかな顔」と「やさしい言葉」で接してみませんか。億万長者だろうが一文無しだろうが、命の儚さに変わりはありません。

巡らそう

花無心招蝶　蝶無心尋花

「いつでも自分のタイミングで」「どれだけでも自分の裁量で」「誰にでも。受けた当人でなくても問題なし」、これが恩返しの作法です。

こうしてどんどん、恩は巡っていきます。しあわせも巡っていきます。

そのなかで、不安も、「自然が授けた必要」に留まるでしょう。

［恩返しの作法］

「恩人」「恩義」「恩師」「謝恩」に「恩賞」。わたしたちはさまざまな「恩」を知っています。さて、知ってはいるものの、「恩」って、いつ、どれくらい、誰に返せばよいのでしょう？

日本昔話は、「恩返し」の宝庫です。すぐさま思い出されるのは、『鶴の恩返し』でしょうか。罠にかかって苦しんでいた鶴。助けてくれた男への恩返しは、自分の羽で世にも美しい布を織ることでした。

「恩返し」がタイトルにある昔話は他にもたくさん！　猿も亀も、雁も鯉も恩返ししてきます。しばしばわたしたち人間は、恩を一つ返すにも、あれこれ悩んだりして時期を逸してしまうことがありますが、どうやら、動物のほうが「恩返し」には長けているようです。

さて、返す「恩」があれば、「借り」も返すものです。しかし、「恩」と「借り」では、返す作法に大きな違いがあります。

「借り」は合理的なものです。だからこそ、民法などで「貸し借り」について詳細に明文化されています。借りは返す。借りた当人に返す。法に定められた範囲内で返す。これに背くことは違法です。

かたや「恩」は、極めて不合理なものです。法律によって定められる代物ではありません。

まず、「恩」は目に見えるようなものではありません。「借り」のように数値化もできません。また、「恩」を売り込むことも、押しつけることもできません。そんなことをしたら恥知らずでしょう。

ですから、「恩」は勝手に感じるものです。わたしたちが勝手に「恩を受けた」と思えば、直ちに成立します。恩人に対して「あなたをわたしの恩人としてもよろしいですか？」などと了承を求めることもありません。

だから、動物たちも恩を返します。お地蔵さんたちだって恩を返します。どれほどのものを返すかも、自分勝手に決めてしまえばよいのです。

さて、さらに不合理なことに、恩返しをする相手がすでに亡くなってしまっていることもあります。親への報恩の機会をなくしてしまった人もいるでしょう。わたしなどは、私淑し敬愛する先生がモンテーニュだったりします。彼に対して勝手に恩を感じているのですが、なんせ十六世紀の人。彼に恩を返すことなど、どだい無理です。

そんなとき、どうすればよいのでしょうか？

恩返しの最高の不合理は、**「当人に恩返しをしなくてもいい」**ところにあります。自分のタイミングで、自分なりに適当な恩の返し方をすればよいのです。「恩師」に話を聞いてみるとよいでしょう。彼らは一様に口を揃えます。

「あなたが立派な人間になってくれることが、恩返しです。そして、あなたもまた、立派な人間を育ててください」

「自分に、物品なり金券なりを返せ！」と要求する先生は、そもそも恩師にはなり得ないでしょう。

「恩」はいつ、どれくらい、誰に返せばよいのでしょう？

「いつでも自分のタイミングで」
「どれだけでも自分の裁量で」
「誰にでも。受けた当人でなくても問題なし」

これが恩返しの作法です。

だから恩については、「返す」ではなく「報いる」という言葉も使われますね。こうしてどんどん、**恩は巡っていきます。**一方の借りは、決して巡りません。

「借りを返す」のは最低限のマナーですが、「恩返し」は本人次第。だからこそいっそう、報恩の心は大切なのです。

松下幸之助さんは、自著『指導者の条件』でこんなことを述べています。

感謝報恩の心を持つということは、人間にとって極めて大事なことである。いうまでもないことであるが、人間は自分一人の力で生きているのではない。自然の恵み、他の人々の働きによって自分が生きているわけである。そうした自然の恵みや他の人々の恩に対して報いていくという気持ちを持つことが大切であると思う。そういう心からは、いつしか無限の活力が湧き起こってこよう。それが事をなしていく上で非常に大きな力になってくると思う。

誰しも、自分一人のエネルギーには限りがあります。使い続ければ枯れ果てますし、使わずに蓄えようとしても腐ってしまうでしょう。だからこそ、報恩が大事なのです。自分も加えたみんなでエネルギーをどんどん巡らせていく。誰もが心臓のような役をしていきましょう。そうなれば、活力が枯渇することもありませんし、常に活き活きとした状態が保たれます。

［本来の豊かさ］

ニーチェは、松下幸之助さんよりももっと激しくわたしたちを鼓舞します。『曙光』から引用しましょう。

だれが助けたのかまったく気づかれずに助ける。相手に対して権利を持つことも勝利を誇ることもしない。人より優れたものを持たず、人に優った食べ物も持たず、人より楽しい精神も持たない。与え、返し、分かち、かえっていっそう貧しくなる。多くの人に近づき、屈辱など感じさせないほどの俗人となる。常に一種の愛のうちにあり、一種の利己心と自己享楽のうちにあり続ける。これこそ人生というものだ！　これなら、長く生きる理由となる！

「いっそう貧しくなる」とニーチェは言っていますが、彼は「貧しさ」「豊かさ」を二つの意味で使い分けます。

一般的に「貧しさ」とは、お金が不足していて必要なものが買えないことを意味するでしょう。ここではこの意味で使われていますね。対義語の「豊かさ」は、収入も貯金も必要以上にあり、買いたい物を買えることになるでしょう。

しかし、もう一つ、本来的な「貧しさ」「豊かさ」があります。本来の「貧しさ」とは、権利や勝利など、自分の「持ち物」で他人に誇ることです。それは「与え、返し、分かつ」ことができない状態です。

一方の**「豊かさ」とは、「与え、返し、分かつ」ことができること。**どれほど「巡らせられる」人や物に恵まれているかによって、「自分の人生が豊かであるかどうか」が判明するのです。

恩に報いたい人がどれだけいるか？

そして、**どれだけの恩に報いてきたか？**

報恩によって物も人も巡らせられる人は、それだけ豊かな人生を送れているのです。それだけの事を成してきたのでしょう。

一方、所有にこだわり、あまつさえ独占ばかりしようとする人の人生は、それ相応に貧しいものになります。

そして、**巡らせられる人は、物も人も分相応。**
同様に、不安も分相応に留まります。

独占したがる人は、不安も自分ひとりで抱え込むことになります。この不安によって、彼はますます偏屈に頑固になり、孤立していくでしょう。

ところで、「自分がどんな人生を送ってきたのか？ 豊かだったのか貧しかったのか？」知りたくないですか？

しかしそれは、決して知ることができません。なぜなら、それがわかるのは自分が死んだときだから。わたしたち人間にとって最大の不安の元である死に臨んでようやく、自分の人生の真価が判明するのです。

モンテーニュの言葉を借りましょう。

宝飾品、財産、肩書き、褒賞など、わたしたちの生活のあらゆることに仮面が用意されている。だが、一つだけ仮面が用意されていないものがあることをきみは知っているだろうか？　それは、死だ。友達や家族の死ではなく、きみ自身の死だ。わたしたちの最期の場面には、どんな仮面も役に立たない。死に臨んでようやくわたしたちの真価が問われる。掛け値なしの自分が見られてしまうのだ。この場面でこそ、わたしたちの人生がどれほどのしあわせに恵まれていたかを見ることができるだろう。しかし、わたしたちはそれを見ることはできない。なぜならわたしたちはすでに死んでいるからだ。

（« Les Essais »）

高価な家も車も、どれほどの名声も、「掛け値なしの自分」には無関係です。見えるのは、その人がどれほどしあわせだったのか。高額納税者だとしても、お葬式で涙する人がいないかもしれません。無名のまま清貧を貫いた人のお葬式に、しあわせが満ち溢れるかもしれません。

自己中心的な独占欲の人間は、自分の死にざまに戦慄するでしょう。どれほどの不安が襲うか計り知れません。一方、「しあわせに恵まれた」人は、自分の死にざまに微笑むことができるでしょう。

「しあわせは巡る」

物は所有できます。占有もできます。でも、しあわせは独占できません。「自分一人だけしあわせだ！」なんて感じていたら、最高に不幸な人と言えるでしょう。再度、モンテーニュの言葉を借りてみましょう。

いったい、しあわせとはどのようなことだろうか。「しあわせとは必要なものを何一つ欠いていないことである」、たしかにそうかもしれない。しかし、自分一人だけが何一つ欠いていないことは、むしろ不幸なことだろう。

しあわせな人にとっては、自分と同じ年ごろの者たちはみなきょうだいになり、年下の子どもたちはみな後輩であり、老人たちはみな自分の父親になる。自分一人だけで独占するようなものはひとつもない。

自然がわたしたちに授けた必要以上のものを求めないようにしよう。必要以上のものを求めることは、自分をじりじりと火あぶりにすることになる。

しあわせとは、きみひとりだけしあわせであることではない。しあわせとは、自然がわたしたちに与えた純粋に必要なものを、みんなが欠いていないことだ。（《Les Essais》）

先のニーチェの引用には、こんなフレーズがありました。

「常に一種の愛のうちにあり、一種の利己心と自己享楽のうちにあり続ける」

ニーチェは「自己犠牲」を嫌います。なぜなら、自分を欠いて「みんな」は成立しないからです。ですから、どのような行為にも、「一種の利己心」があるはずなのです。しかし、**他人へと巡らせることができなければ、利己心は不安を生み出す元凶になってしまう**でしょう。

「四弘誓願《しぐぜいがん》」という、菩薩が起こす四つの誓願があります。

衆生無辺誓願度（衆生は辺《かぎり》がないけれど、誓って悟りの彼岸に渡そうと願う）
煩悩無尽誓願断（煩悩は尽きることはないけれど誓って断とうと願う）
法門無量誓願学（仏の教えは量ることができないくらい多いけれど、誓って学ぼうと願う）
仏道無上誓願成（仏の道は、上が無いけれど誓って成就しようと願う）

作家の村上春樹氏はサリンジャーの小説『フラニーとズーイ』に「四つの偉大な誓願」として次のように訳します。

いかに無数の人がいようと、彼らを救うことを誓います。
いかに無尽蔵に情念が存在しようと、それらを消滅させることを誓います。
いかにダルマ（仏法）が広汎なものであれ、それを修得することを誓います。
いかに仏陀の真理が比類なきものであれ、それを会得することを誓います。

「いかに無数の人がいようと、彼らを救う」なんて、なかなか困難なミッションのように感じてしまうでしょう。わたしたちも、この難易度の高さに思わずたじろいでしまいます。でも、いきなり「無数」を相手にすることはありません。

まずは、**しあわせを独占せず、身の回りの人たちに「与えて返して分けて」**みることでしょう。報恩の作法のように、**「自分のタイミングで」「自分の裁量で」「誰にでも」、「与えて返して分かつ」**。

自然は巡ることで、在り続けます。巡らなくなれば、自然は消滅してしまうでしょう。
必要以上のものを求めることは、不安によって我が身を焼くこと。

わたしたちも、自然の理の一部のはず。何事も握り込んではいけません。巡らせることで、「自然がわたしたちに授けた必要」に留めておけるのです。

こうして不安も、「自然が授けた必要」に留まるでしょう。

あとがき

哲学者・大竹稽氏との出会いは、平成二十六年の夏でした。お寺に来られる方は、さまざまです。お話を聞かせていただくと、お寺で坐禅と哲学教室を開催したいということでした。

世界や人生の究極の根本原理を客観的・理性的に追究する学問である哲学とは異なり、禅では、悟りの境地は不可思議であり、我々の思惟《しい》の範囲を超え、表現できないものであると考えます。したがって、言語による表現は、人を悟りに導く手段や方法であり、表現できる限界まで人を導いていくことができるけれども、その先は坐禅を通じて自分で体得し、あるいは師の心より弟子の心へ言語表現を通してではなく、以心伝心という形で直接伝えられるものであるとされます。

ですから、わたしにとっては、大竹先生との対話はたいへん興味深く、月一回の哲学教室の開催を毎月待ち遠しく思っています。

龍源寺は、東京都港区三田にあります。東京で生活する人々には、多くの悩みを抱えた人が多く、不安と上手につき合うことが肝要になります。たとえば、ベートーベンが晩年に耳が聞こえなくなるということと闘いながら音楽家としての生涯を貫いたように、あらゆる人々がみな、不安を抱えながら自分の人生を生き抜いています。

不安に耐えることは、筆舌に尽くしがたいほど、辛いことです。不安を繰り返す日々の中での支えとなるのは唯一、希望を持つことであって、どんなに過酷な境遇の中でも、わずかとはいえ、心の中に余裕を持ち、そこから新しい道を探ろうとするとき、厳しい環境の中でも活路を見いだすきっかけとなります。

おそらく、生きていく上で、不安、不運、病気、挫折は付きもので、志半ばで挫《くじ》けてしまうこともありますが、挫けても、人間はすべて、最後には、「これでいい」と自分を肯定しながら駆け抜ける中に、かけがえのない自分自身の人生が個性を持ったものとして結実すると思うのです。

不安とは逆に、思いのままになることを如意と言いますが、禅語の如意の「意」は、自己と他者の境界を超えた森羅万象に共通するほとけの心を指します。

つまり、自己と他者に限らず、すべての相対的な認識を超えたとらわれのない境地が大乗仏教の「空」ということになります。本書において仏教側からは、主に「空」という観点にたって不安を論考いたしました。

仏教、とりわけ禅の思想は、いつの時代にあっても、人間のあり方の基本を考え直し、生きる支えとなる根拠を自らつかみ取ろうとするところにあります。現代のこのような時代だからこそ、人間と世界のあり方を考え、誠実に生きるための心の支えを大切にしたいと思います。

最後に、本書の出版にあたり（株）BOW&PARTNERS社長の千場弓子様、そして、本書刊行のために貴重なお力を賜ったみなさまに衷心より御礼申し上げます。

龍源寺住職　松原信樹

二〇二三年六月

著者紹介

大竹 稽（おおたけ けい）

1970年愛知県生まれ。愛知県立旭丘高等学校から東京大学理科三類に入学するも、五年後、医学と決別。大手予備校に勤務しながら子供たちと哲学対話を始める。三十代後半で、東京大学大学院に入学し、フランス思想を研究した。専門は、サルトル、ガブリエル・マルセルら実存の思想家、バルトやデリダらの構造主義者、モンテーニュやパスカルらのモラリスト。『超訳モンテーニュ』『賢者の智慧の書』『60分でわかるカミュのペスト』など編著書多数。現在、哲学の活動は、東京都港区三田や鎌倉での哲学教室（てらてつ）、教育者としての活動は横浜市港北区での学習塾（思考塾）や、三田や鎌倉での作文教室（作文堂）。詳細は大竹稽HPにて更新中。大竹稽の哲学教室HP（https://teratetsu.com/）、大竹稽の学習塾HP（https://shikoujuku.jp/）。

松原信樹（まつばら しんじゅ）

1971年東京生まれ。東京都港区・臨済宗妙心寺派龍源寺第18世住職。群馬県北軽井沢・日月庵代表役員。妙心寺派布教師。平林寺専門道場を経て、東洋大学大学院文学研究科仏教学専攻博士後期課程単位取得満期退学。祖父・松原泰道、父・松原哲明に師事し2009年より現職。住職として、寺務の他、月一回の坐禅会、法話会、企業研修、学生の坐禅体験指導を行っている。『やさしい禅の教科書』（PHP文庫）、『つながる仏教』（ポプラ新書）のほか、監修本多数。主な著作としては、野口善敬・松原信樹共訳『中峰明本「山房夜話」訳注』汲古書院（2015）。祖父である龍源寺第16世・松原泰道師の『般若心経入門』祥伝社（1972）は、当事のベストセラーとなり仏教書ブームを巻き起こした。

BOW BOOKS 018

現代の不安を生きる

哲学者×禅僧に学ぶ先人たちの智慧

発行日　2023年6月30日　第1刷

著　者　大竹 稽　松原信樹
発行人　干場弓子
発行所　株式会社BOW&PARTNERS
https://www.bow.jp　info@bow.jp
発売所　株式会社 中央経済グループパブリッシング
〒101-0051 東京都千代田区神田神保町1-35
電話 03-3293-3381　FAX 03-3291-4437

ブックデザイン　石間 淳
編集協力＋DTP　BK's Factory
校　正　鷗来堂
印刷所　中央精版印刷 株式会社

ISBN 978-4-502-47201-5

BOW BOOKS

時代に矢を射る　明日に矢を放つ

WORK と LIFE の SHIFT のその先へ。
この数年、時代は大きく動いている。
人々の価値観は大きく変わってきている。
少なくとも、かつて、一世を風靡した時代の旗手たちが説いてきた、
お金、効率、競争、個人といったキーワードは、もはや私たちの心を震わせない。
仕事、成功、そして、人と人との関係、組織との関係、
社会との関係が再定義されようとしている。
幸福の価値基準が変わってきているのだ。

では、その基準とは？　何を指針にした、
どんな働き方、生き方が求められているのか？

大きな変革の時が常にそうであるように、
その渦中は混沌としていて、まだ定かにこれとは見えない。
だからこそ、時代は、次世代の旗手を求めている。
彼らが世界を変える日を待っている。
あるいは、世界を変える人に影響を与える人の発信を待っている。

BOW BOOKS は、そんな彼らの発信の場である。
本の力とは、私たち一人一人の力は小さいかもしれないけれど、
多くの人に、あるいは、特別な誰かに、影響を与えることができることだ。
BOW BOOKS は、世界を変える人に影響を与える次世代の旗手を創出し、
その声という矢を、強靭な弓（BOW）がごとく、
強く遠くに届ける力であり、PARTNER である。

世界は、世界を変える人を待っている。
世界を変える人に影響を与える人を待っている。
それは、あなたかもしれない。

代表　干場弓子